Kees 't Hart

Blaues Curaçao

Roman

Aus dem Niederländischen
von Rosemarie Still

Klett-Cotta

Das Haus

1

In den Herbstferien besuchte ich mit meiner Mutter eine ihrer Freundinnen, die in einem großen dunklen Haus am Stadtrand von D. wohnte. Am Tag nach unserer Ankunft strich ich lautlos von Zimmer zu Zimmer, von Stockwerk zu Stockwerk, wie ein Tier, das unbekanntes Terrain erkundet. Auf dem Dachboden standen hohe Schränke an den Wänden, halb versteckt hinter verschlissenen grünen Vorhängen. Die Bücher lagen und standen kreuz und quer auf den Brettern, sie fielen beinahe vornüber, obwohl einige den Eindruck machten, wie Vögel wegfliegen zu wollen.

Auf einem der Regale lagen Bücher über Curaçao. In *Tropisch Curaçao* gab es Farb- und Schwarzweißfotos von der kahlen und ausgetrockneten Landschaft, den verlassenen Ölraffinerien, von einer Brücke, einem Flugplatz, von Stränden, windschiefen Bäumen, Felsen und Kakteen, alle mit passender Bildunterschrift. Eine Reportage über einen Besuch von Königin Beatrix zeigte fröhlich lachende Menschen vor Häusern, in farbenfrohen Booten oder auf riesigen gelben Plätzen. Eine Abbildung zeigte zwei Männer, die hoch über dem Wasser nah hintereinander auf einem Seil liefen. Unter *Tropisch Curaçao* lag *Curaçao¡ Willemstad: City of Monuments*, randvoll mit Farbfotos von Häusern und Gebäuden, großen Landsitzen mit oder ohne Veranda, kleinen weißen Häusern, Schulen, Hospitälern und Regierungsgebäuden.

Ich erinnerte mich an diese Bücher von zu Hause, nur waren sie dort nicht ganz vollständig gewesen, einige Seiten waren herausgerissen. Ich hatte sie lange nicht mehr gesehen, wahrscheinlich hatte meine Mutter sie eines Tages einfach weggegeben, hätte ich danach gefragt, würde sie gesagt haben, daß sie auf einmal genug davon oder daß sie Kopfschmerzen bekommen hätte und sich ihretwegen nachts hätte übergeben müssen. Ich blätterte sie langsam durch, grübelnd, wir hatten früher auf Curaçao gewohnt und meine Erinnerungen daran waren zu farblosen Flecken geworden, aus denen kein Ton mehr erklang. Manchmal blickte ich zu dem viereckigen Dachbodenfenster, als wäre von dort mehr Licht zu erwarten oder herabsinkende Staubpartikel, Stimmen, leise Geräusche von draußen. Es begann schon zu dämmern. Von unten hörte ich meinen Namen, vor wenigen Minuten hatte ich ihn auch schon gehört, aber da war es nur ein Geräusch von einem, der kurz seine eigene Stimme hören wollte, jetzt klang es gebieterisch mit einem gekränkten Unterton.

Auf den verwitterten Dielen neben der Bodentreppe stand eine schwarzlackierte längliche Kiste, eine Schiffskiste mit Souvenirs von Reisen, eine Kiste, wie sie ein Varietékünstler für seine Requisiten verwenden würde. Ich legte die Fotobücher zurück auf das Regal, ging zu der Kiste und hob den Deckel. Es lagen alte Kleider darin, vermutlich von Mutters Freundin, ein roter Wollpullover mit einer Blumenbrosche, ein paar Kleider, unter anderem ein hellgelbes mit pechschwarzen Knöpfen und ein sehr verwaschenes blaues, ein paar Handtücher, ein Häufchen hellrosa Unterwäsche, ein Strohhut mit einem zerknitterten weißen Band, ein altes Liederbuch, ein weißes scharfkantiges Stück Koralle, an dem ich mir den Zeigefinger aufritzte, so daß ein Tropfen Blut herausquoll. Ein Paar flache Schuhe mit Lederriemchen. Waschlappen, Broschen, und noch andere Kleidungsstücke, die mir nichts sagten. Die Kiste war nicht voll. Zwischen den Handtüchern lag ein glänzendes Heft mit Fotos von Männern und Frauen in allerlei unanständigen Posen.

Ich leckte das Blut von meinem Finger.

Auf dem Umschlag war eine Frau zu sehen, die wie ich ihren Namen hatte rufen hören. Sie hatte ein rosiges Gesicht, knallrot geschminkte Lippen und dunkelrotes, wallendes Haar, das sie, selbst nach dem winzigsten Lufthauch, jedesmal sorgfältig in Form bringen ließ. Auf einer Abbildung im Buch saugte eine andere Frau mit hellroten Lippen einen riesigen Penis in ihren Mund, der innen an ihre linke Wange drückte, die sich dadurch ein wenig wölbte. Das nächste Foto zeigte dieselbe kühne Pose, aber nun war ein kleiner Spiegel dabei, in dem der Mund auch mit Inhalt zu sehen war. Ein anderes Foto zeigte den Mann und die Frau aus etwas größerer Entfernung. Das geblümte Seidenkleid der Frau war bis zur Taille gerafft, so daß ihre glänzenden Schenkel zu sehen waren; sie kniete vor dem Mann, der auf den vorigen Fotos noch eine Hose anhatte und an einem Kaminsims lehnte, auf dem unterschiedliche Dinge standen: eine Keksdose mit Bildern von Segelschiffen, ein Päckchen Zigaretten, eine Vase mit weißen Blumen und ein Foto von einem Friedhof. Da kommt er wieder mit seinen weißen Blumen an, hatten sie dem Fotografen noch zugerufen, aber wenn man lachte, bekam man keinen Steifen, also ließen sie das schnell wieder sein.

Wieder rief meine Mutter von unten meinen Namen.

Wenn die Frau den Schwanz nicht im Mund hatte, was auch vorkam, lachte sie einladend, so wie Leute auf Curaçao, komm mal her, rief sie, hier kannst du schön schwimmen, ihre Stimme klang in meinem Mund, ein leises Brummen, es war nicht unbedingt notwendig, ihr einen kleinen Spiegel an den Mund zu halten, den konnte ich auch so sehen, sie hatte keine Gelegenheit, mir zuzureden, ihr Mann war auf Reisen und kam nie mehr zurück, der Haushalt lief wie geschmiert, nur das Gebäck mußte noch aus dem Gefrierfach geholt werden, aber ich machte ihr keine Vorwürfe, sie war auch ohne Spiegel schön, auf den folgenden Fotos fehlte er übrigens, da stand die Frau im gerafften geblümten Kleid auf hochhackigen roten Schuhen, den Rücken zum Kaminsims, die weißen Blumen waren gerade noch zu sehen, und der Mann trieb, stöhnend wie ein Kalb, seinen riesigen, ölig glänzenden Schwanz zwischen ihre weit geöffneten, leicht gespreizten Beine; ihre Möse, wie ein gezackter Mund, umfaßte ihn, und die Frau blickte aufmerksam und sogar schalkhaft darauf hinunter.

»Ich komme«, rief ich.

Auch in dem Heft wurde nun gerufen, ein anhaltendes Stimmengezwitscher kommentierte die Darbietung, es mache nichts aus, wenn der Baron etwas früher nach Hause käme, sie sei ja bereits gewarnt, schau ruhig zu, flüsterte die Frau mit dem gerafften Kleid, komm zu uns, aber beeil dich, sonst ist das Licht nicht mehr gut und dann fängt der Fotograf wieder zu meckern an wegen der weißen Blumen und der Keksdose, wir amüsieren uns hier prächtig, hinterher essen wir mit der Schwiegermutter des Fotografen zu Abend. Ihre heisere Stimme paßte hervorragend zu dem Heft, das jemand in der Kiste zurückgelassen hatte, von selbst war es da nicht hineingekommen, vielleicht hatte es die Freundin meiner Mutter hineingelegt, nach flüchtigem Durchblättern, als sie nicht hatte finden können, was sie suchte, ein hübsches Kleid für das Schultreffen heute abend. Die weißen Blumen und der Friedhof waren ihr nicht bekannt, die

Seiten bewegten sich jetzt in meinen Händen ganz leise hin und her, geblümte Kleider waren speziell dafür entworfen, sich hin und her zu wiegen, als drücke jemand ganz leicht dagegen. Ich steckte das Heft unter meinen Pullover, schloß die Kiste und stieg die steile Treppe hinab. Ich legte es in meinem Schlafzimmer unters Kopfkissen und ging nach unten.

Seit unserer Ankunft gestern hatte die Freundin meiner Mutter nicht aufgehört uns zu erzählen, daß sie ihr ganzes Leben allein in diesem Haus gewohnt hätte, als habe sie damit Leuten wie uns etwas voraus, die oft umgezogen waren. Über ihre Kindheit sprach sie im Diminutiv, sie war ein Kindlein gewesen, ein Mädelein, ein Babylein, früher war alles klein gewesen. Sie wies auch ständig auf abgenutzte Stellen im Bretterboden hin, an denen die frühere Aufstellung der Möbel zu erkennen war. Jeder Balken konnte etwas über sie erzählen, jede Steckdose trug ihre Vergangenheit in sich. Gestern abend hatte sie im Wohnzimmer ab und zu ein paar Zeilen aus alten Liedern gesungen, an die sie sich von früher erinnerte, aber zwischendurch hatte sie auch Pausen eingelegt, die sie mit wegwerfenden Gebärden unterstrich. Ich würde es nicht wagen, sie zu fragen, warum die Bücher auf dem Dachboden halb von Vorhängen verdeckt waren, und warum die Bücher in den anderen Zimmern, auch in meinem Schlafzimmer, unverhüllt auf den Regalen lagen, manchmal aufgeschlagen, mit den Namen eines früheren Besitzers, schweigend wie das Grab, oft auch mit weißen Zettelchen zwischen bedeutungsschwangeren Seiten, als wolle sie die immer in Griffweite haben.

An meine ersten Kinderjahre erinnere ich mich kaum, auch nicht an die Zeit auf Curaçao, ich stellte meiner Mutter keine Fragen mehr darüber, und sie erzählte nie unaufgefordert davon. Früher, an regnerischen Sonntagen, saß ich ihr an dem langen Eßzimmertisch in unserem Haus gegenüber und wir schauten zusammen Fotos an, die in einem weißen Schuhkarton aufbewahrt wurden. Ich lag in einer Wiege oder einem Ställchen in einem Zimmer, in das jemand ein paar Stunden zuvor ein paar Möbel gestellt hatte. Über Curaçao wurde nie gesprochen. Sie wollte keine Sekunde daran erinnert werden, vor etwa vier Jahren hatte ich noch einmal einen Versuch unternommen, aber da war eine eisige Stille entstanden. Dagegen zeigte sie mir gern Fotos von einem Urlaub in Frankreich, auf denen ich am Rand einer Schlucht stand, in deren Tiefe ein Fluß strömte. Wenn meine Mutter hin und wieder eine halbe Stunde aus dem Haus war, durchsuchte ich den Schuhkarton, ich hatte etwas vergessen, da waren andere Fotos gewesen, ich wollte ihnen etwas zurufen, der oder jener Stuhl sollte besser woanders stehen, und manchmal schreckte ich über dem Karton auf, wenn mich meine Mutter wachrüttelte, weil wir essen mußten und sie Kopfschmerzen hatte. Was siehst du denn nur, fragte sie dann in scharfem Ton, was treibst du mit den Fotos. Es geht nur um Kleinigkeiten, sagte ich, hast du den Stuhl da gesehen, er hat mich an eine Geschichte erinnert, ich konnte das Wasser in der Blumenvase nicht sehen, und das wollte ich so gern, aber wenn ich es sehe, will ich es lieber nicht sehen, kapierst du das. Und das war für sie wieder ein Anlaß, sich stundenlang Sorgen um mich zu machen. Wegen allem, was ich früher gesagt oder getan hatte, war meine Mutter ewig besorgt, was bei ihr zu verkrampften Wutanfällen führte und bei mir zu ohnmächtigem Flüstern zu den Wänden meines Zimmers. Sie war immer besorgt, sie wußte nicht, was für mich richtig wäre, behauptete sie, sie brachte mich jahrelang besorgt zu Bett, heute noch, wenn sie die Gelegenheit bekommt, und dann fuhr sie mir mit eiskalten Fingern über die Stirn, außerstande zu gehen, während ich aus tiefster Seele hoffte, sie würde es nun wirklich tun. Auf den Fotos war etwas zu sehen oder zu hören gewesen, weiter nichts, eine Blumenvase, eine Farbschattierung zwischen den Möbeln, eine schwarze Öffnung neben einer Tür, ein zarter Ton, der sich nicht in Worte fassen ließ, auf den ich sie aber dennoch hinweisen wollte. Und wenn ich mit ihr in der Stadt war, zeigte ich ihr die Gegenstände in den Schaufenstern, könnten Fotos sein, sagte ich, schau mal, wunderschöne Lampen, Pflanzen, Trockenhauben, Musikinstrumente, Zirkusbücher, Schuhe wie stille Tiere, Reiseprospekte und Puzzles. Sie betrachtete alles schweigend und zog mich weiter.

Seit wir in D. angekommen waren, hörte ich meine Mutter Erinnerungen an Häuser auffrischen, in denen sie als Kind und als junge Frau gewohnt hatte. Zu meinem Erstaunen sprach sie mit ihrer Freundin über das Haus, in dem wir früher gewohnt hatten, nicht sehr weit von hier, weißt du noch, dort wohnten wir, und sie hatte zum Fenster gezeigt, ganz in der Nähe vom Theater, ein herrliches, aber etwas verwohntes Haus, weißt du noch, und ihre Freundin wußte es nur allzu gut, sie stießen einander an, sie war oft genug da gewesen, aber hör mal, als wisse sie das nicht mehr. Aber meine Mutter hatte bei uns zu Hause nie mit mir darüber gesprochen oder ich hatte es vergessen, ja, wir hatten in dieser Stadt gewohnt, nur vorübergehend, das war mir wohl erzählt worden, ein paar Monate, und danach sind wir wieder umgezogen, alles war so lange her, so wichtig war es nun nicht gewesen. Wo haben wir gewohnt, hatte ich gestern gefragt, natürlich weiß ich es noch, aber ich finde es schön, wenn du die Straße noch einmal nennst, es klingt viel schöner, wenn du es sagst, bekommt es einen viel vertrauteren Klang, dann scheine ich immer da gewohnt zu haben, und meine Mutter nannte den Namen eines Platzes ganz in der Nähe. Mit einer Hausnummer. Du warst noch sehr klein, sagte sie, als wäre das eine Erklärung für den schlechten Zustand des Hauses. Und sie hatte mir den Weg dorthin erklärt, kurz nach dem Theater nach links und dann geradeaus. Wann haben wir da gewohnt, hatte ich gefragt. Es wurde einen Moment lang still. Meine Mutter und ihre Freundin lauschten angestrengt einem Geräusch von draußen, wir saßen im Vorderzimmer, auf der Fensterbank standen Pflanzen, die Freundin meiner Mutter trug ein langes, dunkelrotes Kleid. Als ihr aus Curaçao zurückgekommen seid, rief sie vom Sofa her. Meine Mutter sah mich an und bedeutete mir mit einer fast unmerklichen Kopfbewegung, dies sei nicht der Moment, weiter über dieses Thema zu sprechen.

Die Treppe nach unten hatte schwarzweiße Fliesenkaros. Auf der rechten Seite des Treppenhauses waren Pflanzenkübel angeschraubt, aus denen braungrüne Blätter herausragten. Meine Mutter war nicht im Zimmer. Sie saß in der Küche am runden Holztisch, wo wir gefrühstückt hatten. Auf dem Tisch stand ein Stapel Teller, den sie offensichtlich aus einem Küchenschrank dort hingestellt hatte. Neben den Tellern lag eine geöffnete schwarze Handtasche, schwarz wie ein Loch, und davor, schon fast in der Schwärze verschwunden, lag ein hellbraunes, puppenhaftes Bärchen, sehr klein, nicht größer als mein Mittelfinger, an dem ein Schlüsselbund hing. Es wandte den Kopf von mir ab und sah zu meiner Mutter. In der Küche hörte man das Summen einer Abzugshaube, das Licht in der geruchlosen Küche schmerzte. Meine Mutter hatte mir früher oft Geschichten über dieses Bärchen vorgelesen, sie handelten von Tieren, die sich gegenseitig an Geburtstagen besuchten und im Garten ihres jungen menschlichen Herrn, dessen Name mir nicht einfiel, kleine Abenteuer erlebten. Ihre Stimme hob und senkte sich leicht mit den Tierstimmen, die meist lustig und nüchtern waren, ab und zu aber auch unwirsch, und in denen Warnungen mitschwangen, Verbote, unzulässige Vertraulichkeiten, denen ich atemlos lauschte, nicht nur, weil ich mich dann zu den Tieren und Pflanzen zählte, sondern auch, weil ich vermutete, daß meine Mutter über diese Stimmen in mir ein Gefühl einer Finsternis wecken wollte, in der Gegenstände auf Kaminsimsen oder in Schaufenstern mit der Zeit zu mir sprechen würden und in der ich, wenn ich mich sehr bemühte, schließlich verschwinden würde.

Das Bärchen belauerte meine Mutter. Weit aufgerissene Augen in einem blassen Gesicht, von leicht lockigen Haaren umgeben, ein hellblauer Pullover, auf dem eine Brosche in Lilienform steckte. Ich schaute in die Scheiben der Küchenschränke und sah ihr Gesicht zwischen dem Schrank mit den Kochbüchern und den Gläsern mit buntem, allmählich vergilbtem Papier darauf. Meine Mutter sah mich an, auf ihrem Gesicht lag ein Ausdruck der Erstarrung und Berechnung. Und gleich würde das Schreien losgehen.

»Wo hast du gesteckt«, sagte sie, »ich habe dich die ganze Zeit gerufen.«

»Ich war auf dem Dachboden«, sagte ich, »da liegen Tausende Bücher, manche über früher. Ein ganzer Stapel über Curaçao. Die hatten wir früher auch.«

»Du siehst so blaß aus«, sagte sie, »geht's dir denn gut, du solltest mehr rausgehen, der Strand ist nicht weit von hier.«

Sie bewegte die Hände an der Tasche hin und her, als wolle sie Krümel vom Tisch wischen, sie preßte die Lippen zusammen und öffnete sie dann wieder, als schnappe sie nach Luft, sie legte die linke Hand auf das Bärchen. Es war noch immer still. Dann bewegte sie die Hand zum Bärchen und drehte seinen Kopf zu mir. Ihre Stimme sprach auf mich ein, sprach mir zu, zuerst leise, fast unverständlich zwischen halbgeschlossenen Lippen, aber allmählich zunehmend, ein schäumendes Geräusch aus einem schäumenden Mund, wie eine Welle, die mich überspülte und meinen Mund, meine Augen und meine Glieder befleckte. Sie tat, als spreche sie aus der Schnauze des Bärchens, als sei sie automatisch mit ihm verbunden, gleich ginge sie zu Bett, sie könne einfach nichts dagegen tun, sie müsse nunmal lauter und lauter sprechen; das Geräusch ging langsam in eine schneidende Schärfe über, als sei ich es gewesen, der Anlaß zum Schreien gegeben hatte, als habe nicht sie angefangen, ein Getöse verlöschender Wörter, die gleichzeitig lockend waren, als fordere man mich zu einer langen Reise auf, die Knopfaugen des Bärchens funkelten. An der Wand neben der Tür hing das Poster eines Mannes mit einem kleinen Schnauzbart, der einen Strohhut trug, er hielt einen schwarzen Regenschirm in der Hand und sah mich schalkhaft lachend an. Auf der Anrichte rechts hinter meiner Mutter stand eine schwarze Bratpfanne. Das Küchenfenster war geschlossen, die Gardinen hingen in weißen Strähnen herunter.

»Was sagst du?«, sagte ich.

Ich konnte meiner Mutter nicht gut folgen, sie war aufgestanden, schien mich sogar an sich ziehen zu wollen, ich wich schnell zurück, konnte aber nicht verhindern, daß sie beim Weitersprechen mit der linken Hand flüchtig meine Schulter berührte. Sie sagte nichts, was ich nicht schon jahrelang gehört hatte. Ihre Hand hielt das Bärchen fest. Das schäumende Geräusch aus ihrem Mund war mit der Farbe Rot verbunden, das stand fest, es war rotes Geräusch, kein grelles Rot wie auf Briefmarken, die Kinder entworfen hatten, sondern das Rot der hochhackigen Schuhe der Frau aus dem Heft, ich öffnete den Mund und der Schwanz des Mannes glitt hinein, stieß innen an meine linke Wange, die sich dadurch ein wenig wölbte, glitt dann wieder heraus, vielleicht sollte ich den Mund etwas weiter öffnen, ich wollte niemandem weh tun, ihre roten Schuhe zwängten meine Zehen ein, ich rutschte tiefer hinunter, um in meiner Mundhöhle etwas mehr Platz zu machen, damit der Mann seinen Schwanz leichter in meinen Hals schieben konnte, aber die Stimme meiner Mutter verstummte nicht. An der Wand hinter ihr, fast neben ihrem Kopf, hing ein vergilbtes Foto mit drei Menschen bei einem Flugzeug. Meine Mutter, ihre Freundin und ich als kleiner Bub, der ängstlich von den anderen wegsah, als bezöge einer ein Stückchen weiter tüchtige Prügel. Nun wurde es endlich stiller, meine Mutter stützte die Hände vor sich auf den Tisch und wartete, daß es still würde, ab und zu bewegte sie die Lippen, als wolle sie doch noch weitersprechen. Sie schien mir noch etwas sehr Wichtiges sagen zu wollen, ihr Gesicht wurde rosarot, als hätte sie zuviel getrunken.

»Ich geh gleich noch mal weg«, sagte ich.

»Du darfst nicht mehr auf den Dachboden«, sagte sie, als hätte ich nichts gesagt, »dort stehen lauter alte Sachen herum, die dich nichts angehen, unten sind auch genug Bücher, was gibts dort bloß zu sehen, es sind nur alte Bücher, die dich nichts angehen, ein paar habe ich ihr geschenkt. Meinst du, Susan gefällt es, wenn du in ihren Sachen herumwühlst?«

Ihre Freundin wäre natürlich über mein Herumstöbern auf dem Dachboden beunruhigt, nicht nur, weil dort Bücher über Curaçao lagen, sondern weil sie wußte, daß sich in der schwarzen Kiste ein Heft mit Abbildungen von Männern und Frauen befand, die es manchmal in Restaurants, Parks, Zügen, Zirkussen und Versicherungsbüros zu dritt oder zu viert trieben. Vielleicht hatte das Heft ihrem Mann gehört und wollte sie, gewissermaßen als eine Erinnerung, ab und zu darin blättern, und wenn sie wüßte, daß ich auch darin geblättert hatte, wäre das für sie eine gute Gelegenheit, wieder über ihren Mann zu reden, der sie vor ein paar Jahren plötzlich verlassen hatte. Mein Mann hat mich eines Tages verlassen, mit diesen Worten hatte sie gestern abend, während ich vor dem Fernseher saß, ihre Geschichten über dieses Thema in traurigem Ton abgeschlossen, was ich ganz toll fand, weil sie dann eine Zeitlang allein sein konnte, bei ihr aber eine Mischung aus gekränkter und verzweifelter Wut freisetzte, die sich, als ich nicht mehr im Zimmer war, in einem bedrückten, geflüsterten Einreden auf meine Mutter darüber ausließ, was alles geschehen war oder hätte geschehen können. Oben in meinem Zimmer hatte ich ihre helle, gehetzte Stimme gehört und die gekränkte, beschwörende meiner Mutter, die den Tierköpfen auf der Tapete in meinem Zimmer Leben einhauchten, sie anstößig grinsen ließen und boshaftes Flüstern über mein Gesicht jagten. Ich war hinuntergegangen, hatte an der Zimmertür gelauscht, aber wegen der Musik nur unverständliche Stimmen gehört.

»War sie eigentlich einmal auf Curaçao?« fragte ich.

Meine Mutter stellte die Teller auf die Anrichte, aus dem Hahn lief immer noch Wasser, sie wischte sich übers Gesicht, als ob es vorübergehend schmutzig gewesen sei, aber langsam schon wieder sauberer würde. Ich konnte mir ihre Freundin sehr gut auf Curaçao vorstellen, eher als Frau denn als Mädchen; sie hörte sich manchmal an wie jemand, der sich aus großer Entfernung mit allen Unterdrückten überall in der ganzen Welt solidarisch fühlte und sich bei einem Aufenthalt in einer ehemaligen Kolonie sofort folkloristische Kleidung anzöge, was die einheimische Bevölkerung zutiefst peinlich fände, weil das ein Symbol der Sklaverei war, oder wie jemand, der sich auf die Verwaltung und die kolonialen Zirkel am Ort stürzen würde, weil man von innen her auch viel erreichen konnte.

»Sie war einmal kurz da«, sagte sie, »sie hat bei uns gewohnt, ungefähr drei Wochen. Weißt du das nicht mehr?«

Ich wußte es nicht mehr, auf einmal konnte ich mir ihre Freundin gar nicht mehr vorstellen, sie war jahrelang aus meinen Leben ganz verschwunden gewesen, herausgerissen, ich wußte nicht mehr, wie sie aussah oder auf Curaçao ausgesehen hatte, sie hatte einen Kopf und Arme und Beine, glatte Beine, abends leicht glänzend vom Öl, aber ihr Gesicht war ein Fleck geworden, weil es ein Fleck war mit einem singenden Mund darin, es war immer ein Fleck gewesen, und ganz gewiß auf Curaçao, wo alles zu farblosen Flecken wurde, einschließlich Meer und Felsstränden. War sie früher, blaß wie eine geschälte Birne, auf Curaçao neben mir gelaufen? Jedenfalls war sie damals viel jünger gewesen, eine gläserne, busenlose junge Frau, die sich puderte, ich wußte, daß sie es immer noch tat, der Schminktisch in ihrem Schlafzimmer war mit Puderdosen übersät. Sie wirkte jünger als meine Mutter, viel abwesender, verträumt mit theatralischer Gestik. Sie hatte auf Curaçao einen glatten blauen Morgenmantel getragen. Meine Mutter nahm das Bärchen mit dem Schlüsselbund vom Tisch.

2

Ich überquerte die Straße, an der das Haus der Freundin meiner Mutter lag, und ging zur Brücke hinauf. Hinter mir hörte ich die Tür aufgehen. Als ich mich umdrehte, sah ich meine Mutter in der Tür stehen, rot erleuchtet, als wäre im Gang hinter ihr ein Feuer entzündet worden, sie winkte mir zu, sie rief mit weit aufgesperrtem Mund, daß ich zeitig vor dem Essen wieder zurücksein müsse. Ich winkte ihr nicht, sie machte Anstalten zu mir zu kommen, brach ihre unvorhergesehene Bewegung ab, als auf der anderen Straßenseite ihre Freundin im Auto angefahren kam. Sie hupte. Ich winkte ihr zu, indem ich jäh den Arm hob, als wäre die lokale Lähmung, an der ich schon seit Jahren litt, nun endlich geheilt.

War die Freundin meiner Mutter wirklich auf Curaçao gewesen? Plötzlich sah ich sie vor mir, eine junge, schüchterne Frau mit singendem Mund und langen dunklen Haaren, die beim Gehen über ihrem Rücken wippten. Vielleicht hat es dort auch ein Treffen gegeben, eines wie heute abend, damals eines der Regierungsbeamten oder der Ölgesellschaft, bei der mein Vater gearbeitet hatte. Man hatte sie eingeladen, weil sie die Freundin meiner Mutter war, und sie kam, um meiner Mutter einen Gefallen zu tun, obwohl sie sonst nichts weiter mit Curaçao zu tun hatte. Ich sollte sie vor heute abend warnen, sie sollte besser zu Hause bleiben, bei solchen Treffen verlieren Menschen ihre Gerüche, sie belauschen einander mit sehr raffinierten Abhörapparaten, könnte ich sagen, sie warten hoffnungsvoll auf geistige Umnachtungen, die aber nicht eintreten, sie werden in Räume gesperrt, in Kellern gefesselt, der Saal ist stockdunkel, schallisoliert, eine wahnsinnig laute house-musik dröhnt, in der Mitte des Saales stehen unter erloschenen Kronleuchtern Hunderte erschreckter Leute mit weißen Handschuhen. Ich war noch nie zu so einem Treffen eingeladen, obwohl unzählige im Land stattfanden. Kaffeetrinken mit neu aufgefrischten Bekanntschaften, danach nach Hause oder in die Irrenanstalt.

Oben auf der Brücke war eine Treppe, die zu einem schmalen Fluß hinabführte. Unten am Wasser war nicht viel los, auf der anderen Seite lag ein Park mit einem Kai, an dem Schiffe ankerten. Das Wasser blendete mich, ich ging auf dem Fußpfad am Fluß entlang. An Deck eines kleinen Rheinkahns, mit einer gelbgestrichenen Kajüte hinten, saßen ein Mann und eine Frau, sahen über das Wasser, sprachlos wegen etwas, was ich nicht sehen konnte und wohin ich wegen Ansteckungsgefahr bestimmt nicht gewagt hätte, zu lange hinzuschauen: matte Farben, für Wohnstubenpflanzen geeignet, und für Vögel über den schwarzen Dächern der Stadt.

Links, auf der anderen Seite des Pfads, tauchte das Theater vor mir auf, in dem das Treffen der Schule stattfinden sollte, die meine Mutter und ihre Freundin besucht hatten. An dieser Seite des Gebäudes war alles aus Glas, auf der Fassade klebten Plakate und darunter waren Glastüren, die man aufreißen konnte, und sei es nur, um die Passanten auf dieses Gebäude aufmerksam zu machen. Hinter dem Glas gab es wenig zu sehen, hineinschauen schien ausgeschlossen. Ich war noch nie drinnen gewesen, doch ja, als kleiner Junge im alten Theater, einem kleinen, cremefarbenen Gebäude, damals hatte es eine Vorstellung gegeben, in der sich zwei Clowns mit Wasser vollspritzten, was ein dritter ständig zu verhindern suchte, der gerade dadurch klitschnaß wurde und fast in einem großen Zuber ertrunken wäre. Über dem Glasportal dieses Gebäudes stand in großen weißen Buchstaben CONCORDIA, etwas rechts neben dem Eingang stand ein großer Lastwagen mit sperrangelweit geöffneter Heckklappe. Ein paar Männer trugen palmenähnliche Pflanzen ins Gebäude, die mir mit langen trägen Fingern winkten.

In der Nähe des Eingangs mühte sich ein Mann mit drei Koffern ab. In den Koffern befand sich wahrscheinlich sein ganzer Besitz, er konnte nicht alle drei zugleich tragen und brachte sie deshalb abwechselnd etwa zehn Meter weiter, nach jedem Koffer ging er zurück und holte den nächsten. Als er alle drei beisammen hatte, verschnaufte er kurz und wiederholte anschließend dieselbe Prozedur. In seiner Haltung war keine Spur von Qual, sein Gesicht strahlte vollkommene Ruhe aus, die so provozierend war, daß sie den Passanten auf die Nerven gehen konnte. Verschwinde mit deinen Scheißkoffern. Er war zu seiner Mutter oder einem fernen Land unterwegs und hatte eingesehen, daß es vernünftig war, großen Ballast mitzuschleppen. Ich wartete, bis er wieder hinter dem Lastwagen auftauchte. Paß gut auf, sagte er, einst ging ich auch ohne Koffer, ich habe die Auslagen in den Schaufenstern betrachtet, genau wie ihr, ich hatte eine Mutter, genau wie ihr, ich schämte mich, genau wie ihr, ich ging zu Schuljubiläen, genau wie ihr, aber eines Tages bekam ich von der Gewerbeaufsicht ein paar Koffer und mußte umziehen, und das wird euch auch passieren, ihr Nepptouristen.

Auf der anderen Seite des Wassers hörte der Park auf, ein paar niedrige Häuser standen da, in einem brannte

Licht, und ein Mann und eine Frau schauten aus dem Fenster. Ich ging über die Straße und bog links ein. Diese Straße war noch stiller, dort gab es keine Autos, und nach wenigen Minuten erreichte ich einen Platz mit hohen Bäumen. Der Boden zwischen den Bäumen lag voller Blätter, lange Grashalme ragten empor, die im Winter abgestorben waren und dem Platz eine trostlose Kahlheit verliehen. An diesem Platz standen Häuser, durch eine schmale Straße und einen Bürgersteig getrennt, kein Haus hatte den gleichen Giebel, manche standen dicht am Bürgersteig und waren durch einen kleinen Garten von ihm getrennt, andere waren nur über eine breite Einfahrt daneben erreichbar. Hoch oben im Himmel war es noch hell, ich sah die Wolken, mein Gesicht glühte vom Spaziergang. Ich überquerte den Platz, lief mitten durch das dürre Gras zwischen den Bäumen durch. Dort auf der anderen Straßenseite stand ein Haus, das in der gestreiften und flauschigen Dämmerung, taubstumm für alle Geräusche, auf mein Kommen gewartet hatte, die Nummer stand links über der Tür. Meiner Mutter zufolge hatten wir in diesem Haus früher gewohnt. Tränen des Erstaunens über die Unbeholfenheit des Giebels schossen mir in die Augen, der wie ein Gesicht aufgemauert war, über das Dach, das kreuz und quer mit schwarzen Dachziegeln gedeckt war, die jeden Moment wegfliegen konnten. Unten war ein Fenster, vor dem graue Vorhänge hingen, neben dem Fenster eine große, schwarzgestrichene Tür, der erste Stock war hinter einem Balkon versteckt, der wie ein Gebiß in meine Richtung bleckte. Neben dem Balkon hing ein Fenster schief. Der Platz und das Haus senkten sich langsam auf mich herab.

Ich weiß nicht mehr, wie lange ich gewartet hatte, aber nach einiger Zeit zog sich eine helle Glut über den Platz, verbreitete sich altmeisterlich über die Gärten und den Bürgersteig, glitt über mein Gesicht und färbte die Giebel der Häuser. Die Balkontüren im ersten Stock öffneten sich, und ein Junge trat heraus, als stünde er jeden Nachmittag bei Anbruch der Dämmerung hier, ein Junge, etwas älter als ich, ein wachsbleiches Gesicht mit dunklen Haaren. Hinter ihm im Zimmer war eine Lampe angeknipst, das Licht schien in meine Augen und langsam, wie aufkommender Nebel am Meer, erklangen rauschende und wogende Pianoklänge von einem Spieler, der sich kraftvoll auf dem Klavier auslebte, mit rhythmischen Unterbrechungen, als wolle der Komponist der Pausen sicher sein, sie gut zu den Zuhörern durchdringen lassen. Sie weckten eine riesige Erwartung in mir, das Herz schwebte mir in der Brust. Ich drückte mich an einen Baumstamm und sah zu dem Jungen hoch. Das Klavierspiel erstarb kurz, versank zwischen den Bäumen, doch danach mischte sich eine kräftige, männliche Stimme mit den Pianoklängen und ich hörte ein freches und lockendes Lied, das zu einer stürmischen rhythmischen Kraft anschwoll, als wolle der Komponist das Meer in Klänge schlagen. Es war ein deutsches Lied, ich verstand fast nichts von dem Text, obwohl ich dem sich bewegenden Mund des Jungen ansah, daß er mitsang, auch ich bewegte die Lippen, ich wollte auch mitsingen, und meiner Kehle entschlüpfte ein krächzendes Geräusch wie das einer Möwe. Das Lied handelte von einem Ausflug zu Pferde in einen Wald, es war ein erzählendes Lied mit langen Gesprächen, das Klavier wogte auf und ab, der Sänger tat sein Bestes, den verschiedenen Personen im Lied einen eigenen Charakter zu geben: Es gab eine hohe und verzweifelte Stimme, eine tiefe und ruhige, aber auch eine flehende und jammernde, die klang wie ein verwelkter Höfling mit der Stimme meiner Mutter. Der Junge gestikulierte drohend mit der Faust in meine Richtung, dabei schüttelte er die langen Haare, aber gesehen hatte er mich nicht. Ich wollte auch winken, ein Zeichen geben, wagte aber nicht, mich zu bewegen, ich war dieser Junge, ich war es, der da wie ein Fisch auf dem Trockenen die Lippen bewegte, ein wilder Sänger mit schwarzen Haaren um ein weißes Gesicht, ein Wahnsinniger, der jeden Abend auf Plätzen sang, der seinen Verstand, wann immer er wollte, verbrennen konnte, der Nässe und Unrat von der Straße, der Stadt und den Häusern verdunsten ließ, der sich mir an diesem Nachmittag offenbarte, erst jetzt, sich aber schon Jahre darauf vorbereitet hatte, wie ich mich schon Jahre auf ihn vorbereitet hatte.

Anmutig wie ein gelernter Tänzer begann er einen wehmütigen Tanz, der das Lied plastisch darstellte, ich wollte rufen, brachte aber keinen Ton heraus, er drehte sich mehrmals um seine Achse, warf dabei die Arme hoch, fiel in sich zusammen und richtete sich wieder auf. Ich versuchte, ihn mit einem noch erstaunlicheren Gruß zu grüßen als dem, womit er sich mir präsentierte, aber ich brachte nur eine leichte Drehung des Armes zustande, jäh nach oben, wie ich gerade der Freundin meiner Mutter zugewinkt hatte. Das Lied endete mit einem Todesfall, das letzte Wort war deutlich zu hören, das Klavier klang noch zweimal rollend auf, die Lampe im Zimmer erlosch, aber ich sah deutlich menschliche Gestalten, die sich umkreisten, als bereiteten sie sich auf eine Schlägerei vor. Im Zimmer stand ein hoher, dunkler, glänzender Schrank, dessen Tür halb offenstand. Der Junge war vom Balkon verschwunden. Aus dem Zimmer hörte man lautes Gerede, Jammern oder eine Schimpferei, die niemand ernstzunehmen schien. Wahrscheinlich war da das Wohnzimmer voll mit Stehlampen, Teppichen auf dem

Fußboden, die Wände vollgehängt mit Gemälden von Segelschiffen, die über stürmische Meere jagten, ins Büfett waren Pflanzenmotive geschnitzt.

Nun trat eine junge Frau auf den Balkon, als würde sie eine Rolle in einem Theaterstück spielen, das mir zu Ehren aufgeführt wurde, ein Mädchen noch, ungefähr so alt wie ich, vielleicht etwas jünger. Sie trug einen schwarzen Pulli, das Haar war zum Pferdeschwanz frisiert, in ihren Ohren glitzerten große Ohrringe. Sie blickte über die Schulter, winkte, und da kam auch der Junge wieder auf den Balkon. Wie aus einer Schlucht kam Musik, schleppende Geigen spielten einen walzerähnlichen Tanz, feierlich mit ein paar Pausen, die die Musik weiter antrieben. Der Junge und das Mädchen tanzten miteinander und hielten sich steif fest, es war ein eingeübtes Festhalten, das sie lange und sichtlich ohne Ergebnis geübt hatten und das Verletzbarkeit und dahinschmelzende Leidenschaft ausdrücken sollte. Die Musik endete abrupt.

Auf dem Balkon stand jetzt auch noch eine ältere Frau, sie war, von mir unbemerkt, aus dem Zimmer gekommen, sie sagte etwas zu den Tänzern, dann schaute sie plötzlich zu mir, als hätte ich mit Geräuschsignalen ihre Aufmerksamkeit geweckt. Sie hatte graue Haare und einen grauen Pulli um den Hals geschlungen, sie wischte sich mit der linken Hand übers Gesicht, als hätte sie kurz zuvor noch geweint. Die Tänzer ließen sich los, der Junge ließ den Kopf fallen, bis er fast waagerecht auf seinem Brustkorb ruhte, wie jemand, der kurz vor der Exekution schon einmal das Loslassen des Drucks auf die Muskeln übt. Danach hob er den Kopf hoch und blickte auf mich. Er lachte, zog das Mädchen am Arm, sie ging etwas zurück, stellte sich hinter den Jungen. Sie sahen jetzt alle drei zu mir, die ältere Frau hatte schwarze Augenbrauen, die sich scharf von ihrem fleckigen Gesicht, auf dem Tränen glänzten, abhoben, das Mädchen schien tief in Gedanken versunken zu sein, und der Junge winkte mir. Er hatte mich natürlich schon die ganze Zeit gesehen, noch bevor er auf den Balkon gekommen war, er hatte mich ankommen sehen und sich gefragt, ob er mich von früher kannte, wie ich mich fragte, ob ich ihn von früher kannte. Ich hatte ihn schon mein ganzes Leben gekannt. Erst jetzt, da die beiden anderen mich ansahen, benutzte er ihren Blick als Alibi so zu tun, als sehe er mich erst jetzt. Er sagte etwas zu der Frau. Laß mich nur machen, ich kenne ihn schon seit Jahren, er hat hier vor etwa dreizehn Jahren gewohnt, repatriiert aus Curaçao, sie mußten das Land verlassen, seine Mutter war vorübergehend wahnsinnig oder krank oder beides, das passiert ständig auf Curaçao, es gibt keine Heilung. Ich kenne die Freundin seiner Mutter, sie war auch auf Curaçao, er ist jetzt bei ihr zu Besuch, sie hat dunkle Augen mit grünen Flecken, sie reibt sich jeden Abend die Beine bis hoch zu den Schenkeln mit Öl ein; ich weiß innerhalb kürzester Zeit, von wem die Bücher in diesem Haus sind, auch von wem das Haus ist, das Land ringsum, die Luft darüber und von wem sie selbst ist, seine Mutter und diese Freundin gehen heute abend zu einem Schultreffen.

Das Mädchen zog an der Schulter des Jungen vor ihr, als wolle sie ihm etwas zeigen, aber er drehte sich nicht um, sie zog wieder, aber er reagierte nicht. Ich ließ den Kopf auf die Brust fallen, wie der Junge es getan hatte, um mit dieser Geste ein Einvernehmen mit ihm herzustellen oder wenigstens zu zeigen, daß ich genau begriffen hatte, was er mit dem Lied und dem Tanz ausdrükken wollte, aber auch, um die Stimmen nicht hören zu müssen, die mir entgegenwehten. Sie sprachen über mich. Ich stand viel zu lange hier, rot von dem Blut, das durch meine Haut strömte. Sie hatten nur ein kleines

Theaterstück aufgeführt, das sie schon wochenlang auf dem Balkon einstudiert hatten, weil es nirgendwo sonst erlaubt oder weil im Wohnzimmer nicht genug Platz war. Es erklang keine Musik mehr, es gab keinen Grund, länger stehenzubleiben, sie hatten mir nur aus Freundlichkeit vom Balkon zugewinkt, weil Herbstferien waren oder einer von ihnen Geburtstag hatte. Sie drehten sich um und gingen wieder ins Zimmer, die Balkontüren blieben offen. Ich wartete. Der Junge und die Frau kamen auf den Balkon zurück. Sie redeten miteinander, nicht eindringlich, als *müßten* sie miteinander reden, eher einander beruhigend, wobei auffiel, daß sie mir ihre Gesichter keinen Augenblick zuwandten. Wenn er gewinkt hätte, wäre ich aufgestiegen, bis ich mit einer kleinen Beugung der Knie auf dem Balkon gelandet wäre, ich wäre mit ihm hineingegangen, die Balkontüren hätten sich von selbst geschlossen, und danach wäre das Haus langsam wie ein Ballon in den Lüften verschwunden.

Es bestand kein Zweifel, daß er gewartet hatte, bis ich dicht bei dem Haus war, er hatte mich mit einem stürmischen Lied begrüßt, das er nur mitgemurmelt hatte, hatte anschließend getanzt, seine Schwester gerufen, mit der er auch getanzt hatte, und danach durfte seine Mutter kurz kommen und schauen, ob es schön war. Jetzt bereiteten sie sich im Wohnzimmer auf eine Zaubernummer vor, in der das Mädchen in einer mit Sternen bemalten Kiste zersägt werden sollte. Das ist er, hatte er gesagt, auf diesen Jungen dort unter den Bäumen warte ich schon seit Jahren und er wartet auf mich. Seine Mutter hatte vom Zimmer neben dem Balkon zu mir heruntergesehen. Sie gingen wieder hinein. Ich verließ den Park zwischen den Bäumen, überquerte die Straße, die zu dem Haus führte, und wartete am niedrigen Gartenzaun. Kein einziges Geräusch war zu hören, auch nicht aus dem Elektrizitätshäuschen, das etwa hundert Meter weiter an der Straßenecke stand. Endlich ging die Tür auf und der Junge stand da, er winkte mich näher, und obwohl ich auf dem kurzen Weg über den Gartenpfad versuchte, die Augen niederzuschlagen, weil ich die seinen nicht sehen wollte, sah ich, daß ihm die dunklen Haare wie Nebel ums Gesicht hingen.

3

Ich hatte ein paar Begrüßungsworte repetiert, Worte von Leuten, die sich bei einem Schultreffen begrüßen, fröhlich lachend, aber auch abwartend, erst mal sehen, ob wir uns an das gleiche erinnern, das Herz klopft dabei ruhig weiter.

»Ich habe euch auf dem Balkon gesehen«, sagte ich.

Ich hatte den Jungen schon früher gesehen, vor Jahren, war mir aber nicht sicher, als ich mit meiner Mutter in D. durch eine Einkaufsstraße ging, er hatte einen Helm mit roten Federn aufgehabt und war aus dem Hintereingang eines Geschäfts gekommen. Meine Mutter und ich, gerade repatriiert, sahen ihn an, ohne ihn wirklich zu sehen, er gehörte zu dem Geschäft ohne dazuzugehören, wie Gehwegplatten und Straßensteine zu Menschen gehören. Es war ein Möbelgeschäft gewesen, in dem die Blumen und Topfpflanzen, die auf Tischchen standen, hin und herschaukelten. Meine Mutter hatte mich weitergezerrt. Und später sah ich ihn auf einem Schulhof, ganz in meiner Nähe, in einer gelben Plastikregenjacke bis über die Knie.

»Ich habe dich auf dem Balkon gesehen«, sagte ich, »du hast eine Platte gespielt, die mir gut gefallen hat, ich habe auf Curaçao gewohnt.«

Er konnte nicht antworten, weil im Flur hinter ihm die Frau auftauchte, die auf dem Balkon mit ihm gesprochen hatte. Ihr Haar war nicht grau, sondern hellblond, aufgetürmtes Haar, das mit Nadeln mühsam zusammengehalten wurde, ihr Gesicht war noch immer von Kummer verzerrt, Tränen glitzerten in ihren Augen und auf ihrem Gesicht. Sie wußte gar nicht, daß sie Kummer hatte, sie hatte nichts mit den Tränen auf ihren Wangen zu tun, die waren schon immer dagewesen, es war Kummer, der schon Wochen nicht aufhörte, so daß sie sich daran gewöhnt hatte, aber es hatte schon längst nichts mehr mit dem, weshalb man Kummer haben könnte, zu tun, auch nicht mit Verlassensein, verlassen war sie gar nicht, sie war ihrem Sohn nicht gewachsen, der sich bemühte, ebenfalls bekümmert zu sein. Er unternahm deutliche Versuche, indem er die Mundwinkel gelegentlich nach unten zog, aber bei ihm blieb es Anstellerei, und er hatte offensichtlich keine Lust, sich mir gegenüber aufzuregen. Er sah mich an, den Kopf leicht geneigt, als wolle er sich jeden Moment für einen anderen Gesichtsausdruck entscheiden.

Er war etwa zwanzig, vielleicht etwas älter, hatte eine schuppige Gesichtshaut, sie löste sich an manchen Stellen, als trage er eine verschlissene Maske, die er mit Schmirgelpapier etwas bearbeiten wollte. Er hatte dunkles Haar, an den Spitzen waren weiße Punkte, wie mit einem Pinsel aufgetragen. Seine Augen strahlten mir entgegen, ich wich nicht vor ihm zurück, es war sofort eine große Vertrautheit zwischen uns, die gleichzeitig unsicher war, als seien wir uns nach jahrelanger Freundschaft ohne erkennbaren Grund aus dem Weg gegangen. Sein Kopf neigte sich zu mir, ein Hund, der an mir schnuppern wollte, aber sein Körper blieb bei dieser erschütternd intimen Bewegung zurück. Er zockelte auf mich zu, und in dem Moment, als er mich anfassen, mir die Hand geben sollte, wandte er sich von mir ab und sah zu seiner Mutter. Um seine Mundwinkel zuckte ein verächtliches Lachen.

»Ich habe früher hier gewohnt«, sagte ich, »das heißt, in diesem Haus.«

Ich wollte ihm in allem voraus sein, weil ich damit rechnete, daß er alles, was ich sagte, auseinandernehmen würde, als wolle er unsere Begegnung dazu nutzen, sich für etwas längst Vergessenes zu rächen, einen Satz, der ihm in die falsche Kehle gekommen war, einen Lachanfall über einen dämlichen Pulli, für von mir zur Seite geschafftes Spielzeug, das ich an andere Kinder verkauft hatte. Ich ging ein wenig zur Seite, wie ein Diener, der den Besuch einlädt weiterzugehen, und sah wieder, Unentschlossenheit vortäuschend, zu seiner Mutter, seine Haltung zeigte, daß er noch nie in seinem Leben ohne vorherige Beratung mit seiner Mutter eine Entscheidung getroffen hatte, alles hing von ihr oder von seiner Schwester ab, und wenn die nicht da waren, von der Anzahl Vögel über der Stadt oder der Anzahl Schiffe, die je auf Curaçao lagen, sein Mitsingen auf dem Balkon war nur theatralische Demonstration der Unentschlossenheit gewesen, weil er den Text des Liedes nicht ganz gekannt und einfach drauflos gesungen hatte, hoffend, seine Mutter würde ihm mit dem restlichen Lied schon beispringen. Er hatte den schlanken Körper eines Ballettänzers, eine pflanzliche Trägheit, die sich jeden Moment in eine rasendschnelle Bewegung der Glieder verwandeln konnte.

»Ich bin mit meiner Mutter hier in der Stadt auf Besuch«, sagte ich, »sie geht heute abend zu einem Treffen von ihrer alten Schule, wir haben hier früher gewohnt, das heißt, in diesem Haus, und ich wollte einfach mal vorbeikommen, ich habe hier gewohnt, vor dreizehn Jahren, als wir mit dem Flugzeug aus Curaçao zurückkamen, ich wohne hier in der Nähe, dort, wo die Brücke anfängt, ich habe dich auf dem Balkon gesehen.«

Krankenhausluft sauste mir entgegen, in diesem Haus gab es eine Abteilung des örtlichen Krankenhauses, die Frau war die diensthabende Ärztin, die für die ihr anvertrauten Patienten verantwortlich war. Der Junge blieb ruhig stehen, ich hatte das Gefühl, ihm sei meine Geschichte keinen Moment wie eine Lüge vorgekommen, was sie auch nicht war, auch wenn sie so geklungen hatte. Die Vorstellung, daß ich einmal auf Curaçao gewohnt habe, hatte ihm vermutlich vertraut in den Ohren geklungen, daran war er gewöhnt, an Leute, die auf Curaçao gewesen waren, sie liefen ihnen die Tür ein, das ganze Krankenhaus war voll davon, Mutter, da ist wieder einer, hatte er noch gerufen, dort links bei dem Baum, nein, nicht hinter dem Auto, dort auf dem Rasen, während mir mein Aufenthalt auf Curaçao plötzlich unwahrscheinlich vorkam. Wahrscheinlich war ich nie dagewesen, beweisen konnte ich nichts, obwohl die Freundin meiner Mutter Beweise in einer schwarzen Kiste auf dem Dachboden aufbewahrt hatte. Mein dortiger Aufenthalt hing nun völlig in der Luft, bei uns zu Hause gab es nur ein Foto von einem großen Berg, auf dem der Name Curaçao stand, doch das hätte genauso gut auf dem Rummel gekauft oder von einer später verstorbenen Tante geliehen sein können, außerdem konnte man, egal auf welchen Berg, einfach das Wort Curaçao schreiben, kontrollierte doch niemand, ob es stimmte.

Unvermutet tauchte die Frau aus der Diele auf, packte mich am Arm.

»Es paßt uns nicht so gut«, sagte sie, »aber komm herein.«

Sie ging schnell wieder zurück. Ich prallte auf den Jungen. Er ging vor mir, ich wußte nicht sicher, ob er mich kurz betastet hatte. Die Frau drückte sich an die Wand des Flurs, um uns vorbeigehen zu lassen. Sie hatte nichts

Reizvolles, ein Mund wie ein Strich, die Füße in graugestreiften Pantoffeln, sie wußte nicht, was sie mit mir anfangen sollte, und wollte mich so schnell wie möglich wieder loswerden, wußte aber nicht wie, sie wollte mir nicht in einer vollgelaufenen Badewanne den Kopf unter Wasser drücken, dafür war sie zu schlapp, ihre Muskeln drohten ständig, sie im Stich zu lassen. Der Junge blieb rechts unten an der breiten Treppe stehen. Die Frau ging hinter uns her, öffnete links eine Tür und verschwand in einem Zimmer.

»Das ist eine Tante von mir«, sagte er, als sie weg war, »sie ist hier zu Besuch, komm mit.«

Er betrachtete mich, als versuche er, mich mit einem Jungen zu vergleichen, den er unter Bäumen in einem Park vor einem Haus gesehen hatte, ein unbestimmter junger Mann, gekleidet in Wollkleidung, unter der sich ein Geschlechtsteil befand, plötzlich wußte er nicht mehr genau, ob ich es war und ob ich derselbe Junge von früher war, an dem er sich rächen wollte und der plötzlich aus seinem Leben verschwunden war, seine Unentschlossenheit erlebte wieder einen mächtigen Aufschwung, der beste Ausweg schien ihm die Treppe nach oben. Der Krankenhausgeruch im Haus bohrte sich zwischen uns, der Junge wollte sich offensichtlich damit abfinden, daß wir uns früher in einer Einkaufstraße schon einmal gesehen hatten, aber sicher war das nicht, er wollte, wenn er mir damit einen Gefallen tun konnte, jedem sagen, er habe es nicht vergessen, wenn er nur mir gegenüber kein Problem daraus machen müßte. Und es war noch etwas gewesen, an das er sich fieberhaft zu erinnern suchte, eine Geburtstagsfeier in diesem Haus, ganz lange her, bei der ich ihm plötzlich die Hose heruntergezogen hatte.

»Sie ist hier kurz auf Besuch«, fuhr er fort, »wenn alles vorbei ist, geht sie wieder weg, komm mit.«

Aus dem Haus hörte man keinen Laut, man wollte um jeden Preis verhindern, daß in diesem Haus Geräusche waren.

»Ich habe dich früher schon mal gesehen«, sagte ich, »dein Vater hat damals in einem Möbelgeschäft gearbeitet, glaube ich, es war in der Einkaufsstraße, in der Nähe vom Oosteinde.«

»Da hat mein Vater nie gearbeitet«, sagte er.

Wir standen vor der Treppe.

»Mein Vater war bei der Marine«, sagte er, »er reiste durch die Tropen, das letzte Halbjahr war er zu Hause. Er hat viele Dinge von seinen Reisen mitgebracht, Muscheln, schöne Kleider, Bücher. Er konnte herrlich singen.«

Während er redete, gingen wir langsam nach oben, unten öffnete sich eine Tür, und im Flur erschien die blonde Frau.

»Er kann eigentlich nicht, es paßt jetzt nicht«, rief sie, als wären wir durch einen gewaltigen Raum voneinander getrennt, »wir müssen gleich weg.«

»Ich bleibe nur kurz«, sagte ich, »ich muß gleich zum Essen nach Hause.«

Wir warteten aufeinander, der Junge hatte sich umgedreht und hielt den Kopf leicht gesenkt, als wolle er niemandem ins Gesicht sehen.

»Ich bin mit meinem Vater auf Curaçao gewesen«, sagte er.

Er wandte sich zu mir, betrachtete mich mit spöttisch gespitzten Lippen und fing an zu lachen. Danach hüpfte er wie ein Kind die Treppe hoch.

»In den Bergen«, ergänzte er, »in Willemstad, bei den Negern, unter den Vulkanen, auf der Asche der Berge.«

Er lachte schallend und ich lachte mit, das Eis war gebrochen, die Frau unten, wenn sie da noch stand, hatte keinerlei Einfluß mehr auf das, was wir uns in einem gutmütigen Spiel zuriefen, das meine Begrüßungsworte etwas lächerlich machte, aber das war nicht schlimm, vor allem, weil es überhaupt keine Rolle spielte, ob er je auf Curaçao gewesen war.

»Koralle, Kajüte, Bananen«, brüllten wir, während wir die Treppe hinaufrannten, jeder abwechselnd ein Wort.

»Tamarinden.«

»Piraten.«

»Schiffe.«

»Brücken.«

»Strandvögel.«

»Schildkröten.«

»Segel.«

»Puder.«

»Ein Hai.«

»Zwei Haie.«

»Zu den Huren«, schrie er, »die Stempelfabrik, Schiffswracks, Papageien, Hühnerfedern, Möwenscheiße.«

Es hatte längst nichts mehr mit Curaçao zu tun, er wollte mich mit diesem Spiel nur auf die Probe stellen, erst dann würde er über mich entscheiden. Er skandierte wie ein Rapsänger, natürlich war ich dort gewesen, ich bin mit meiner Mutter über einen staubigen kleinen Platz gelaufen, bei einem Felsen bin ich im Meer gestanden, das Wasser schäumte um meine Füße, ich bin dort gewesen, das stand fest, in einem Krankenhaus, die Freundin meiner Mutter war auch dort gewesen, meine Mutter hatte, als sie nach Hause kam, alle Tiere im Haus beseitigt, alles mußte weg, der Hund, die Schildkröten, die Vögel draußen im Käfig, verschwindet, schrie sie, mir kommt, verdammt nochmal, kein Tier mehr ins Haus. Ihre Freundin war damals schon weg.

»Was hast du gerade gesungen«, fragte ich, »auf dem Balkon?«

»Ein Lied von Goethe«, sagte er, »der Erlkönig, es handelt von einem kleinen Jungen, der bei seinem Vater auf dem Pferd sitzt und einen Ausflug in den Wald macht, und dann kommt so etwas wie eine Elfe dazu und sie ziehen zu dritt in den Wald. Willst du ein Stück hören, es fängt so an.«

Wir waren im Treppenflur des ersten Stocks. Er stellte sich an die Wand, verschränkte die Arme vor der Brust und sagte sehr langsam, ohne zu singen, lautlos und sogar ein wenig amüsiert ein paar deutsche Sätze auf. Ich lauschte.

»Wer reitet so spät durch Nacht und Wind?
Es ist der Vater mit seinem Kind;
Er hat den Knaben wohl in dem Arm,
Er faßt ihn sicher, er hält ihn warm.

Mein Sohn, was birgst du so bang dein Gesicht? –
Siehst, Vater, du den Erlkönig nicht?
Den Erlenkönig mit Kron' und Schweif? –
Mein Sohn, es ist ein Nebelstreif. –«

Unten hörte man das Geräusch einer zuschlagenden Tür, Stimmen drangen nach oben, danach Schluchzen. Er hörte auf. An der Tapete hinter ihm hing ein kleines Gemälde, auf dem ein Mädchen eine Kanne Milch ausgoß. Er hatte sehr ruhig gesprochen, ohne zu überlegen, als lese er einen Zeitungsbericht vor, vielleicht fand er selbst die Geschichte nicht schön, altmodisch sogar, über so etwas würde man bei ihm in der Schule oder im Geschäft die Achseln zucken, aber das sagte er nicht, ich mußte es aus seinem Gesichtsausdruck ableiten.

»Mein Vater fand es ein schönes Lied«, fügte er hinzu, »soll ich es für dich übersetzen? Er hat es immer gesungen, wenn er zu Hause war. Es geht noch weiter, willst du es hören?«

»Ich habe Deutsch als Hauptfach«, sagte ich.

Wieder lehnte er sich an die Wand im Treppenflur.

»Du liebes Kind, komm, geh mit mir!
Gar schöne Spiele spiel' ich mit dir;
Manch' bunte Blumen sind an dem Strand;
Meine Mutter hat manch' gülden Gewand. –«

Er hörte auf. Jetzt war ich ganz sicher, daß er noch nie auf Curaçao gewesen war, er hatte es nur gesagt, um mir einen Gefallen zu tun, er wußte nichts davon, er hatte dieses Wort benutzt, um seine Tante in die Irre zu führen, die, wie die Freundin meiner Mutter, vielleicht einmal kurz dort gewohnt hatte und sehr erleichtert war, wenn Jungs in ihrem Haus waren, die dort auch gewohnt hatten. Er wollte sich an mir rächen, mich erst mit nach oben locken, mich dort in Stücke schneiden und mich dann in einen Gefrierschrank sperren, den er außen schwarz anstreichen würde, damit niemand ihn entdeckte.

Erst jetzt sah ich, daß von der Außenwand her Licht ins Treppenhaus einfiel. In der Wand war ein längliches Bleiglasfenster mit einem großen Bild einer Frau im weißen Gewand, nur ihr linkes Bein war nackt, sie hatte schmerzliche Gesichtszüge und Augen, die aus den Höhlen zu fallen drohten. Sie glich der Freundin meiner Mutter, die einst in diesem Haus gearbeitet hatte und aus Dankbarkeit in der Seitenwand mit gekräuselten kreisförmigen Linien abgebildet worden war. Die Frau deutete auf einen schwarzen, krähenartigen Vogel, den sie herbeilocken wollte, nicht um ihn zu strafen, sondern um ihn im großen Bogen hochzuheben und in die Luft zu werfen. Sie vermochte es, Vögel riesige Entfernungen fliegen zu lassen. Neben dem Vogel lagen ein Zirkel, ein Hammer, eine Weltkugel und ein Lineal. Der Junge winkte mir und betrat am Ende des Flurs ein Zimmer. Dort machte er Licht an.

4

Wir standen im Zimmer des Jungen, direkt gegenüber von mir war ein Bett, in der Mitte ein kleiner Tisch mit zwei Stühlen, rechts ein Fenster mit offenen Vorhängen, und rechts neben mir an der Wand ein schmaler Schrank, dessen Tür aufstand, die Bretter waren nicht nur mit Oberhemden, Socken und Pullis vollgestopft, sondern auch mit Papieren, Mappen, Büchsen mit Bleistiften, Atlanten und Zeitschriften. An der Wand über dem Bett hing ein Porträt von Kurt Cobain.

»Das hier war auch mein Zimmer«, sagte ich, »ich hatte ein Klappbett, es stand auf der anderen Seite, wo dein Schrank steht, ich hatte auch einen Schrank, aber der stand hier.«

Ich zeigte mit der rechten Hand.

»Der Schrank war gelb«, sagte ich, »auf dem Schrank stand eine Vase mit Blumen, die stellte meine Mutter immer hin, auf dem Fensterbrett standen Grünpflanzen, und dort hing ein Foto eines Indianermädchens, die Tapete war körnig und ganz verblichen.«

Ich sprach schnell, zeigte ihm bis ins Detail, wie das Zimmer einmal ausgesehen hatte, ich sprach mit tieferer Stimme als sonst, aber doch munter drauflos, als wäre er ein kleiner Neffe, der bei mir übernachten sollte und dafür bekannt war, bei der geringsten Mißstimmung alles kurz und klein zu schlagen. Ich erzählte, daß auch ein Waschbecken da war, hinter einem Vorhang, dort in der

Ecke, und daß abends ein Lämpchen über der Tür brennen durfte.

»Da war ich ungefähr sechs«, fuhr ich fort, »gerade aus Curaçao zurückgekommen, meine Mutter schlief unten, im Balkonzimmer, wo ihr gerade gestanden habt.«

Hätte ich ihm erzählt, daß ich hier nie gewohnt hatte und ihm gleich mit einem kleinen Stein den Schädel einschlagen und ihn danach skalpieren würde, daß er ein Trottel sei mit seinem hoffnungslosen Dünnschißgesicht, hätte er zweifellos genauso aufmerksam zugehört, bis mein Geschwätz versanden würde.

»Hier schlafe ich also«, sagte er unerwartet mit einem halben Lächeln, und mein Wortschwall hörte sofort auf.

Er war so groß wie ich, sein Gesicht war nun nicht mehr schuppig, ich mußte es mir eingebildet haben, zwar ziemlich blaß und straff, als würde er vor dem Spiegel oft Übungen für eine straffe Haut machen. Er wies auf das ungemachte Bett im Zimmer. Darauf lag eine dunkle Jacke.

»Ich muß dir schnell etwas zeigen«, sagte er.

Er ging zu dem Schrank an der Wand und fing an, hastig darin herumzuwühlen, es hing viel davon ab, ob er das Gesuchte innerhalb einer bestimmten Zeit finden würde. Ich ging ans Fenster und sah über den Garten hinter dem Haus. Versteckt hinter einem hohen kahlen Baum stand ein großes Haus, im ersten Stock brannte Licht und an einem Tisch saßen zwei junge Frauen, die angestrengt in eine Ecke des Zimmers schauten. Das Mädchen vom Balkon stand unten im Garten. Sie hielt das Gesicht zum Himmel und spitzte die Lippen, als wolle sie die Luft küssen. Sie trug jetzt ein hellweißes Ballettkleid mit blutroten Streifen. Manchmal ließ sie das Kleid mit schnellen Hüftbewegungen hin- und herschwingen. Sie trug keine Ohrringe mehr. Ich hätte gern ihren Mund gestreichelt, wäre ganz leicht mit den Fingerspitzen darübergefahren, weil ich plötzlich blind geworden war und sie betasten durfte. Ihr Mund schaute lächelnd hinauf, geradewegs in den Himmel zu den Vögeln und den Wolken. Sie war dabei, in der Dämmerung langsam zu erlöschen, und versuchte, es noch kurz hinauszuzögern. Ich drehte mich wieder zu dem Jungen. Er hielt ein paar Gegenstände in der Hand und zeigte sie mir.

»Das habe ich vor langer Zeit hier gefunden«, sagte er, »in einem versteckten Schrank auf dem Dachboden, vielleicht hat es dir gehört.«

Das erste war eine viereckige flache Schachtel, in der kleine Fächer mit Buchstaben waren, ein Fach war leer, wenn man die Buchstaben in die richtige Reihenfolge schob, kam ein Werbespruch oder ein Sprichwort heraus; das zweite war ein Papierflieger, wie ich sie früher auch gefaltet habe, er war ganz staubig und zerknittert; das dritte war ein Stück Holz, in das mit einem Messer Darstellungen von Tieren geschnitzt waren mit ruhigen Gesichtern und Gliedern, die scheinbar an nichts befestigt waren. Nun schien es von allergrößter Wichtigkeit, mich zu erinnern, was in der Kiste auf dem Dachboden der Freundin meiner Mutter war. Kleider und Pullis, alte Schuhe, Unterwäsche, Handtücher, ich wußte nicht mehr alles, rosa Unterröcke. Ein Liederbuch, eine Koralle, mehr fiel mir nicht ein.

»Das Zeug lag auf dem Dachboden, ganz hinten in einem Schrank«, sagte er, »in eine Zeitung eingeschlagen.«

Ich schaute es an. Es waren mitleiderregende Gegenstände von früher, ich wußte nicht, ob sie mir je gehört hatten, er hatte sie jahrelang in seinem Schrank versteckt, sie von mir zu einem Geburtstag bekommen, ich erinnerte mich nicht daran, ich mußte irgendwas dazu gesagt haben, was er nie vergessen hatte, über sein schuppiges Gesicht, über einen Fleck an seinem Knie, über die Farbe seines Kots in der armseligen, leichenblassen Kloschüssel in diesem Haus. Mit diesen Gegenständen war keine einzige Geschichte verbunden, jemand hatte sie liegenlassen, ohne sich weiter darum zu kümmern, eigentlich hätte man sie wegwerfen sollen, aber die Müllsäcke waren schon abgeholt, sie beim Umzug mitzunehmen, hatte sich nicht gelohnt, draußen fing der Möbelwagen schon zu hupen an, beeilt euch, wir fahren los, laßt den Kram doch liegen, es waren idiotische Sachen, die er jetzt auf den kleinen Tisch legte, als wären es Goldmünzen aus einer illegalen Sammlung, idiotisch, wie das Bärchen meiner Mutter, und er hatte sie hervorgeholt, um meine Erinnerungen in die richtige Bahn zu lenken, ich hatte nichts mit diesen Dingen zu tun, sie sahen mich mit aufgesperrten Mäulern an, ich hatte nichts mit diesem Haus zu tun, nichts mit den Steinen, aus denen es erbaut war, nichts mit der zusammengepreßten Luft dazwischen, mit der Erde darunter und dem Himmel darüber, und doch war ich mit einem vor Erwartung wild pochenden Herzen hierhergekommen. Alle Dinge in diesem Zimmer waren einmal durch die Hände dieses Jungen gegangen, sind von seinem Blick beschmutzt worden, dieses ganze Haus war durch seinen Mund, seine Augen verseucht, schon vor Jahren, eine Krankheit, die sich über die ganze Stadt ausgebreitet hatte, erst bei meiner Mutter, danach auf dem Dachboden des Hauses ihrer Freundin, und jetzt war endlich ich an der Reihe.

Auch ein Sommerhut war in der Kiste gewesen, ein paar bunte Bänder.

Ich nahm das Puzzle vom Tisch und schob die schwarzen Buchstaben hin und her, einige waren fast verschlissen, meine Bewegungen machten ein knirschendes Geräusch, wie Nägel auf Glas, unhörbar für andere, aber unverwechselbar. Wir betrachteten das Spiel hilflos, seine Lippen waren leicht geöffnet. Ich habe diese Dinge extra für dich hervorgeholt, dachte er, sie haben in Schränken auf dem Dachboden auf deine Rückkehr gewartet, ich habe sie die ganze Zeit für dich aufgehoben, und als ich dich sah, wußte ich, daß du kommst und sie abholst. Ich schob die Steinchen in ihrem Rahmen hin und her, aber es bildete sich kein zusammenhängender Satz.

Aus dem dunklen Flur hinter mir ertönte leises Schlurfen. Das Mädchen vom Balkon kam in einem raschelnden weißen Kleid ins Zimmer.

»Mann, was macht ihr denn hier«, rief sie, »Jesus, habt ihr nichts Besseres zu tun?«

Sie schaute auf den Buchstabenrahmen in meiner Hand. Ich hielt ihn zu ihr hoch.

»Er hat es vor langer Zeit hier auf dem Dachboden gefunden«, sagte ich.

Ich wies auf den Papierflieger und das Stück Holz, das mich auf dem Tisch anstarrte.

»Bist du der Junge, der draußen stand?«

Sie sah mich lachend an, beruhigend, sie hatte kleine Augenfalten, sie kniff die Lider zusammen.

»Ich habe früher, als wir aus Curaçao zurückkamen, in diesem Haus gewohnt«, sagte ich, »das war mein Zimmer, unten schlief meine Mutter, hinten im Garten war ein Gartenhäuschen.«

Der Junge warf sich aufs Bett und schlug die Beine übereinander.

»Was habt ihr eigentlich auf dem Balkon gemacht«, sagte ich, »sah so aus, als hättet ihr getanzt.«

Das Mädchen setzte sich auf einen der Stühle am Tisch, ich stand mitten im Zimmer. Ihr Kleid bauschte sich um ihren Körper, in Kürze würde sie aufsteigen, das Kleid war aus tüllartigem Gewebe, das in vielen Lagen übereinandergepreßt war, ihre nackten Füße steckten in flachen Schuhen.

»Wir tanzen«, sagte sie, »wir sind ein Tanzpaar, in einem Monat finden die Bezirksmeisterschaften von Süd-Holland statt. Ich habe auch Gesangsunterricht, eigentlich möchte ich Sängerin werden.«

Sie sah mich an, als wollte sie mich vor etwas warnen, wußte aber noch nicht wovor, darüber würde sie erst entscheiden, wenn sie an meinem Gesicht abgelesen hätte wovor. Danach sah sie den Jungen an. Ich sehnte mich nach ihrem dunklen Haar, das zum Pferdeschwanz hochgebunden war, dicht an ihren kleinen Ohren sprangen Haarbüschel heraus, als wären sie neugierig auf mich.

»Und wenn die Meisterschaft vorbei ist, treibt sie es mit jedem«, rief der Junge vom Bett aus, »am liebsten vor dem Spiegel, damit jeder alles gut sehen kann.«

Beide lachten fröhlich, das Mädchen tippte mit einer Hand freundschaftlich an mein Bein, als Zeichen, daß ich mir nichts daraus machen solle, es sei nur eine lustige Geschichte, vor der sie mich kurz vorher hätte warnen wollen. Er sprang vom Bett, ging auf sie zu und nahm sie in die Arme. Sie fand das völlig normal, warf den Kopf zurück, drückte ihren Körper an seinen, und sie fingen an, sich langsam zu drehen, sein Körper lehnte sich an ihren, ihre Füße drehten auf dem schwarzen Linoleum umeinander herum. Während sie sich im Kreis drehten, wußte ich nicht mehr, wo ich das Pornoheft im Haus der Freundin meiner Mutter hingelegt hatte. Zwischen die Handtücher in der schwarzen Kiste auf dem Dachboden, oder hatte ich es in mein Zimmer mitgenommen? Ich wußte es nicht mehr. Vielleicht zwischen die Kochbücher in der Küche, bei den Gewürzen, die Freundin meiner Mutter blätterte nun gelangweilt darin, und als meine Mutter hereinkam, blätterten sie beide darin, schrien vor Lachen, was für ein Winzling, der hier ist schön, guck dir den Arsch an, aber auch enttäuscht, weil es keine Abbildungen von Curaçao enthielt.

Der Tanz des Jungen und des Mädchens wurde langsam weicher und mühsamer. Das Kleid hing an ihrem Körper herab, ich wagte nicht mehr, ihre Gesichter anzusehen. Ich war es, der in seinen Armen lag, ich war das Mädchen, ich war seine Schwester, sein Blick glitt gleichgültig über meine Brüste, meine Haut schwitzte ein wenig, und er sagte etwas an meinem Mund, den ich von ihm abwandte. Eine Hand glitt über meine Schulter, ich war warm von Feuchtigkeit und verschwitzter Müdigkeit, seine Augen zehn Zentimeter von meinen Augen entfernt, ermutigende Augen, ich wollte, daß sein Knabenmund den meinen berührte, daß seine Zunge das Salz von meinen Lippen leckte, um mich zu trösten, über meinen Hals glitte, auf dem der Schweiß zu Salzkörnern getrocknet war. Unter dem Fußboden im Zimmer knallte es, das Bett und der Schrank mit halbvermoderten Kleidungsstücken, zerrissenen Papieren und alten, blutverschmierten Zeitungen, alles war darunter weggeschoben. Meine Mutter war früher in dieses Zimmer gekommen, die Lippen in schrillem Geschrei geöffnet, das wie fauliges Wasser in meinen Mund strömte, sie war ein Mund geworden, der in allen Ecken des Zimmers anfing zu schreien und mich warten ließ, bis sie wieder nach unten ging.

Das Mädchen und der Junge blieben stehen, er ließ den Kopf auf die Brust fallen, wie er es auch auf dem Balkon getan hatte, danach richtete er sich plötzlich auf, als erinnere er sich an etwas und verließ das Zimmer. Ich setzte mich aufs Bett.

»Wir müssen jeden Tag zuammen trainieren«, sagte sie, »meine Mutter ist die Schwester seines Vaters, oder besser gesagt, war es.«

Sie schwieg und ging einen Schritt auf mich zu.

»Wir sind Cousin und Cousine«, sagte sie, »vor etwa sechs Jahren haben wir angefangen zu tanzen, ich wohne nicht hier, aber wir sind fast immer in den Ferien zusammen.«

Es schien, als wollte sie sich für das Benehmen ihres Cousins entschuldigen. Wir schwiegen.

»Meine Mutter geht heute abend zu einem Treffen ihrer alten Schule«, sagte ich, »mit ihrer Freundin.«

Es war dunkler geworden. Ich wußte nicht, wie spät es war.

»Er ist nie auf Curaçao gewesen«, sagte sie, »das versucht er jedem weiszumachen. Hast du dort gewohnt?«

»Ich weiß nicht mehr soviel davon«, sagte ich, »es war heiß dort, und es gab viele Ölraffinerien, ich hatte einen Onkel, der bei einem Betriebsunfall taub wurde. Meine Mutter wurde dort krank, und dann kam ihre Freundin, sie wohnte in unserem Haus, ich habe einmal unter Wasser eine Schildkröte angefaßt.«

Sie ging zu dem Schrank, aus dem der Junge die Sachen geholt hatte, und kam mit einem länglichen hellbraunen Fotoalbum zurück, in dem man Familienfotos aufhebt. Sie setzte sich neben mich aufs Bett.

»Schau«, sagte sie, »das sind wir bei den Jugendmeisterschaften letztes Jahr, daran dürfen wir jetzt nicht mehr teilnehmen, wir sind zu alt. Ich singe schon in einer Band, das bin ich, die Stiefel hatte ich an dem Abend zum erstenmal an, nächste Woche mache ich bei einem Gesangswettbewerb im Theater mit.«

»Das Treffen meiner Mutter ist im Theater«, sagte ich.

Sie legte das Fotoalbum halb auf meinen, halb auf ihren Schoß und schlug es auf, die Seiten waren von oben bis unten mit Fotos beklebt. Sie blätterte schnell zu einem Foto, auf dem einige Tänzer mit gestreckten Armen und lachenden Mündern standen, es war am Ende des Tanzes aufgenommen. Zuerst sah ich sie nicht, dann erkannte ich sie an ihrem Mund, der für dieses Foto dunkelrot geschminkt war, der Junge stand neben ihr und schaute völlig unbeteiligt auf die andere Seite, als sehe er in der Ferne viel schönere Frauen in viel gewagteren Posen als der ihren. Sie trug hochhackige rote Schuhe, um ihre Beine schlackerte ein dünnes Kleid und auf ihren Strümpfen klebte Glitter. Sie zeigte es mir lächelnd, tippte mit einem Finger darauf.

„Dahinter steht eine gute Freundin von mir", sagte sie, „sie wohnt auch in D."

Sie tippte an das Foto einer fröhlich lachenden, jungen blonden Frau, die breitbeinig da stand.

Danach zeigte sie mit vorsichtig ausgestreckter Hand auf andere Fotos, unendlich viele Aufnahmen von fröhlich oder frech dreinschauenden Männern und Frauen, sie erzählte von den Tänzern und Tänzerinnen, von Sängern und Sängerinnen, einige hatten Cowboyhüte auf oder trugen griechische Trachten, sie nannte ihre Namen, wo sie wohnten, ihr Alter, auch ihr eigenes Alter, sie war sechzehn, fast siebzehn. Ins Zimmer drang kein einziges Geräusch, wir waren alleingelassen, sie schlug langsam die Seiten des Albums um, sie zeigte auf Fotos, wie ich meine Mutter früher auf Gegenstände in Schaufenstern hingewiesen hatte, und ich wollte sehen, wie sie sie sah, ich versuchte, ihnen zu lauschen, weil ich sah, daß auch sie den Fotos lauschte, um sich daran festklammern zu können. Sie streckte die Finger nach ihnen aus, manchmal betastete auch ich die Fotos, wie sie es getan hatte, und ab und zu berührte meine Hand zufällig ihre Hand, als wären wir Tänzer. Manchmal stand sie auf und verbeugte sich vor mir in einer Tanzposition, schwächlich oder stolz oder mädchenhaft, so mußten wir stehen, sagte sie, ihr Kleid schlackerte um ihren Körper, und ich betrachtete sie ohne Scham, selbst wenn sie zuckende Bewegungen machte. Sie sang mit hoher Stimme das Lied, das sie nächste Woche im Theater singen würde, es handelte von einem Mädchen, das ihrem Freund nicht erzählen wollte, daß sie ihn verlassen wird, ich sang den Refrain leise mit. Danach saß sie schweigend neben mir, sehr vertraut, wie eine Verwandte, eine Schwester, die ich jahrelang nicht gesehen hatte und mit der ich Erinnerungen an früher hervorkramte. Das waren wir auf dem Weg zum Strand, zwischen den Felsen war ein Sandstrand, du warst viel kleiner als ich, unansehnlich klein, du konntest nicht einmal richtig laufen, eine junge Frau begleitete uns, sie trug einen Sommerhut mit einem Band, wir sangen ganz laut. Als wir das Album angesehen hatten, legte sie es wieder zurück in den Schrank.

Ich stand auf und stellte mich ans Fenster. In dem Zimmer des Hauses hinter uns hielten sich noch immer zwei junge Frauen auf, eine der beiden saß nackt auf einem Stuhl an einem Tisch, auf dem Flaschen und Dosen standen, die andere, ebenfalls nackt, bewegte sich um sie herum und war konzentriert damit beschäftigt, die Frau auf dem Stuhl mit einer Schönheitslotion einzucremen, ihre Haut schien zu schmelzen und bekam allmählich durch das unablässige, leicht drängelnde Massieren ihrer Freundin oder Verwandten einen tiefen Glanz. Sie gehen zum Schultreffen, dachte ich, wie alle heute abend, gleich helfen sie sich gegenseitig beim Ankleiden, das tun die meisten, die zu diesem Treffen gehen, sie sind voller Erwartung, sie träumen von wiederauflebenden Bekanntschaften, sie schämen sich nicht dafür, genau wie ich, es kann nicht mehr schiefgehen, diese ruhigen Gebärden garantieren den Erfolg des Abends, sie sind selbst das Schultreffen, sie verursachen das, was ich sehe, das Treffen war bereits jetzt gelungen, das zeigte sich in den massierenden Gebärden der Frau und der erwartungsvollen Hingabe der anderen. Das Mädchen im Zimmer stellte sich neben mich und nahm meine rechte Hand.

Noch nie hatte jemand der Anwesenheit und dem Verhalten dieser Frauen auch nur die geringste Bedeutung beigemessen, sie waren immer in einer Aufzählung von nie endenwollenden Gebärden steckengeblieben, weil sie selbst nicht imstande waren, Sinn und Zweck derselben herauszufinden. Sollten sie sich hinterher, vielleicht in ein paar Jahren, beobachtet fühlen, wenn das Mädchen neben mir es ausplaudern würde, sie würden immer noch, obwohl alles schon lange her war, ein Lächeln auf ihren Gesichtern hervorzaubern, sie wären mit rückwirkender Kraft ans Fenster gelaufen und hätten zu mir hochgeschaut in den dunkler werdenden Himmel, obwohl ich da nicht mehr stünde, und hätten mir mit winkenden Armen zu erkennen gegeben, daß es um das Schultreffen von heute abend ginge, wir haben neue Kleider gekauft, würden sie rufen, Schultreffenkleider, und wir ziehen uns, weil es so schön ist, voreinander an, du darfst uns ruhig zusehen oder für den Rest deines Lebens bei uns wohnen, laß die Augen auf, schiebe deine Hand in die deiner Freundin, wir sind anzusehen wie du anzusehen bist, siehst du, wie sich unsere Lippen bewegen, wir singen mit der Musik mit.

»Wann hast du auf Curaçao gewohnt?« fragte das Mädchen neben mir.

»Das weiß ich nicht genau«, sagte ich, »vor dreizehn Jahren etwa, wir wohnten am Meer in einem Dorf von

Muschelfischern. Meine Mutter hat in einem Wutanfall alles weggeworfen, ich weiß nicht viel darüber.«

Meine Stimme hatte denselben feierlichen Tonfall wie die Stimme der Freundin meiner Mutter, als sie gestern abend über ihren Mann sprach.

»Aber warum bloß?« sagte sie.

»Ich weiß es nicht«, sagte ich.

Sie schaute nicht zu den Frauen in dem Zimmer, ihr Gesicht wandte sich nach rechts, sie lehnte den Kopf einen Moment an meine Schulter. Als die eine Frau genug massiert war, setzte sich die andere an den Tisch und die erste fing an, sie vorsichtig zu pudern, nicht nur ihren Rücken und ihre Brüste, sondern auch ihre Beine, die sie spreizte, damit auch die Innenseite ihrer Waden und Schenkel erreicht werden konnte. Sie schwiegen nicht, ihre fröhlichen Stimmen mit Wörtern von Erwartung und Verlassenheit wurden von dröhnender Musik übertönt, die ich jetzt erst hörte. Die beiden Frauen schienen die Musik nicht zu hören, darum ging es ihnen nicht, es ging um die eleganten Bewegungen, nicht um die Stellung ihrer Körper im Raum, auch nicht um die Gegenstände auf dem Tisch, die Puderdosen, die Lotions, die Wattebäuschchen, die weichen Tücher, sie führten mir das Schauen selbst vor. So hatte ich auf Curaçao in den Spiegel gesehen, wenn sich die Freundin meiner Mutter schön machte, sich puderte und die Lippen mit einem dunkelroten Stift schminkte. Ich schaute fassungslos zu. Sie wechselten wieder die Position, die Frau, die zuerst saß, puderte nun die andere Frau. Danach legte sie ein weißes Tuch um die Schultern der anderen und hielt eine blinkende Schere in der Hand, mit der sie das Haar ihrer Freundin abzuschneiden begann. Ich wollte meine linke Hand auf die Augen des Mädchen neben mir legen, traute mich aber nicht.

»Kennst du das Lied von diesem Erlkönig?« sagte ich, aber sie antwortete nicht.

Wir sahen schweigend hinaus, ich hielt ihre Hand fest.

»Das Zeug auf dem Tisch hat mir gehört«, sagte ich, »meine Mutter und ich haben es früher hier vergessen, als wir umgezogen sind, dieses Stück Holz habe ich gemacht, meine Mutter meinte, ich könne sehr gut schnitzen, damals war ich ungefähr sechs, sie kaufte mir ein Schnitzmesser, das weiß ich noch, vielleicht hatte ich so eine Vorahnung, daß die Sachen noch hier sind, sonst wäre ich nicht hergekommen.«

»Hat er dir schon erzählt, daß sein Vater gestern gestorben ist?« sagte sie.

Es war ein richtiges Abschneiden, sie fuhr mit dem Kamm durch das Haar der anderen und ließ mit einer kraftvollen Bewegung das Haar erst durch die Zähne des Kammes gleiten und schnitt es danach mit der Schere ab. Diese unnachahmliche Bewegung wiederholte sich ein paarmal, danach verschwand die Friseuse, und die andere Frau wartete am Tisch, bis sie zurückkäme, ihre Lippen bewegten sich, aber ich konnte nicht sehen, ob sie mit der Musik sang oder ein Gespräch mit der anderen Frau führte, die sich vermutlich die Hände in der Küche wusch. Die Frau am Tisch hatte sommersprossige Haut, ihre kleinen Brüste bewegten sich kaum, sie lachte kurz, als wisse sie, daß sie beobachtet wurde, in dieser Gegend beobachtete man sich schon jahrelang, ihr Lachen war einladend, sie schien mich zu sich zu rufen mit einer Selbstverständlichkeit, die mit der von einer der Frauen in dem Heft der Freundin meiner Mutter vergleichbar war, schau nur zu. Ich konnte diesem lockenden Lachen nicht lange widerstehen, war jedoch mit der ganzen Präsentation nicht einverstanden, sie hätten beim Pudern und Haareschneiden besser geschwiegen, das hätte ihnen etwas selten Unverschämtes gegeben, weil der schweigende Mensch auch der unverschämteste Mensch ist, ich war auch nicht ganz mit ihrem Körper einverstanden, ihren sanft wogenden Brüsten, der Wölbung ihres Rückens, der Glut ihrer Schenkel. Wir können es noch ändern, würden sie sagen, aber vorläufig versuchen wir, auf dem Schultreffen das Beste daraus zu machen. Die andere Frau kam wieder in mein Blickfeld, sie war immer noch nackt, sie duckte sich, als bereite sie sich auf einen Sprung vor. Erst jetzt sah ich, daß sie eine Brille über ihre dunklen Haare geschoben hatte. Sie fing an, die andere Frau zu kneten, die mit einer lange verzögerten Gebärde das weiße Tuch vom Bauch nahm. Das Zimmer hing wie ein Zelt um ihre Körper.

»Er hat nichts davon gesagt«, sagte ich.

»Gestern«, sagte das Mädchen, »er wird übermorgen beerdigt, er liegt hier im Haus.«

Plötzlich schauten die Frauen gleichzeitig aus dem Fenster, nicht in unsere Richtung, beide so aufpassend wie Tiere, die ein fernes Blätterrascheln nicht mit anderen Tieren oder dem Wind erklären können und warten, bis sich das rätselhafte Geräusch erklärt. Sie schauten angespannt, eine der Frauen verschwand aus meinem Blickfeld. Die Musik hatte aufgehört. Sie sahen zu einem Haus neben uns, sie schauten nicht einladend, sondern gespannt, die Erwartung war aus ihren Augen verschwunden. Dann setzten sie ihr stilles Ritual fort. Die stehende Frau bemalte das Gesicht der anderen Frau mit einem Stift oder Pinsel, ich konnte es nicht gut sehen, schwarze Striche erschienen entlang der Augen, die ihnen eine düstere Glut verliehen. Die Reihenfolge ihrer Handlungen bedrückte mich, sie hätten sich besser erst gegenseitig angekleidet und hinterher geschminkt, denn jetzt könnte es passieren, daß sie beim Überziehen des Kleides Flekken auf dem ganzen Gesicht bekämen. Ihre Gesichter könnten zu beschmierten Masken verzerrt werden mit Mündern, die meinen Penis abwechselnd einsaugten, bis ich auf sie zuschwankte und mein Sperma auf ihre Leiber spritzte. Als die malende Frau den Pinsel vom Gesicht der anderen wegnahm, schien sie dieses Gesicht mitnehmen zu wollen, die Frau neigte sich über sie, ihre Brüste bewegten sich mit einer plötzlich ausbrechenden Begierde mit, die dem Weiß ausgeliefert war. Die angemalte Frau stand auf, sie stellte sich vor die andere Frau, die etwas kleiner war, ihre Brüste berührten sich, und malte deren Lippen mit einem Stift rot an, den sie schon die ganze Zeit, ohne daß ich es gesehen hatte, in der Hand hielt.

Das Mädchen war verschwunden. Ich drehte mich um. Der Junge stand vor mir, über mir, feierlich, als wolle er eine wichtige Rede halten. Er hielt ein großes längliches Buch vor sich, öffnete den Mund, als wolle er etwas sagen, drückte mir das Buch dann aber schweigend an die Brust.

Das Fotoalbum

1

Es war ein Fotoalbum. Eine ausgeschnittene Plastikrose war auf dem elfenbeinfarbenen Umschlag, die man später aufgeklebt hatte. Auf den schwarzen Kartons klebten Fotos, einige waren herausgerissen und lagen in kleinen Stapeln da, viele waren zerknittert oder in der Mitte durchgerissen, auf andere waren Kleckse gezeichnet und gemalt. Am Anfang war eine primitiv gezeichnete Karte einer Insel, auf der Curaçao stand, der Zeichner war sich jedoch nicht sicher gewesen, denn der Name war durchgestrichen und ein anderer hatte etwas darüber gekritzelt, was nicht mehr zu entziffern war. Darunter stand schließlich noch einmal das Wort Curaçao, und darunter in weißen Buchstaben der Name meiner Mutter.

Das Album brannte in meinen Händen, als ich endlich wieder draußen war.

Nachdem er es mir gegeben hatte, war der Junge wartend neben mir stehengeblieben wie ein Markthändler, der dem Kunden die Gelegenheit gibt, die angebotene Ware kurz zu betrachten, jedoch mit einem akzeptablen Angebot rechnet. Ich hatte in seiner Anwesenheit geblättert und geblättert, mich aber nicht getraut, genau hinzuschauen.

In der hereinbrechenden Dämmerung lief ich hastig durch den Park gegenüber, blieb ab und zu an einem Baum stehen, meine Füße versanken im dunklen Gras und dem herabgefallenen Laub, ich schaute ins Album, meine Finger berührten flüchtig das Papier, die Fingerspitzen streichelten über die glatte Oberfläche der Seiten, betasteten die Fotos. Ich überquerte die Straße und blieb an einer Laterne stehen. Die Fotos im Album hatten nichts zu sagen, es waren Schwarzweißfotos und Farbfotos von Leuten in oder vor einer Landschaft, manchmal war ich dabei, ich stand neben Autos, auf Gehwegen vor Häusern, manchmal waren die Gesichter zerkratzt oder mit Farbe beschmiert, es gab Fotos mit unleserlichen oder ausradierten Unterschriften. Das Licht der Laterne schien auf das Album. Auf einigen Fotos war nur ich allein zu sehen, auf anderen mit einer Gruppe Kinder oder anderen Leuten, die ich nicht kannte, manche Fotos waren in der Mitte durchgerissen. Man hatte mich auch mit ein paar Kindern zusammengesetzt, schnell, schnell, beeilt euch, vor der Freitreppe eines großen weißen Landhauses, mit länglichen Kakteen im Hintergrund, in einer Ladenstraße vor dem Schaufenster eines Angelgeschäfts. Es waren Fotos ohne Geschichten, bedeutungslos, die an sich nichts zu sagen hatten, aber, wie Urlaubsfotos, doch zusammengehörten. Manchmal waren sie nach Themen sortiert, Stapel Fotos von verlassenen Hügeln, nichts weiter, Fotos von Autos, von Ziegen, von weißen Häusern, jemand hatte sie aufeinandergelegt, um sie später auszusuchen, ein Häufchen Fotos, auf denen Königin Beatrix ganz weit weg auf einem gelben Platz an einer Reihe weißgekleideter Kinder entlang ging.

Ich ging über die Straße und lief schnell auf das Theater zu, meine Schuhe knallten auf den Bürgersteig. Vor dem Theater, auf der anderen Seite, blieb ich beim Wasser an einer Laterne stehen. Im Theater war es immer noch dunkel.

Auf der ersten Seite klebte ein größeres Farbfoto, das meinen Vater und meine Mutter zeigte, Korbmöbel schienen durch das Zimmer zu schweben, meine Mutter saß über ein weißes Tischtuch gebeugt, das über ihren Schoß drapiert war, jemand hatte ihr Gesicht mit Bleistiftstrichen zerkratzt. Mein Vater, auch sein Gesicht war zerkratzt, saß ziemlich weit von ihr entfernt und las ungerührt in einem Buch über Forschungsreisende in Zentralafrika, die sich immer gründlich auf ihre Reisen vorbereiteten, dies aber auch nicht standesgemäß fanden, weil Vorbereitung die Entdeckung unbekannter Gebiete ernsthaft erschwerte. Ich selbst war als kleiner Bub mit nacktem Oberkörper abgebildet, auch zerkratzt. An der Wand hing eine Zeichnung von spielenden Bärchen. Das Foto blieb nichtssagend, willkürlich, vom Fotografen keine Spur, es war ein Foto von mir in der Rolle des kleinen Jungen, damit war alles gesagt, jemand, der sich auf irgendetwas vorbereitete und darüber auf der Tapete Informationen las, aus nichts ergab sich, daß es auf Curaçao aufgenommen war, obwohl ich viel darauf gesetzt hätte, daß sie einmal darüber gesprochen hatten, wer später das Foto ansieht, muß an Curaçao denken, hatte mein Vater gesagt, sonst hat die ganze Aufstellung keinen Sinn, dann ist es wieder so ein Mistfoto, hatte ich hinzugefügt, nur noch dazu da, es bei irgendeinem Treffen zufälligen Passanten zu zeigen, die haben garantiert was Besseres zu tun, hatte meine Mutter gerufen, es ist gar nicht sicher, ob ich das bin auf dem Foto da. Sind wir hier denn wirklich auf Curaçao, hatte ich lachend gerufen, und wir hatten uns danach gemeinsam anderen Fotos zugewandt, auf denen Hafenszenen zu sehen waren, Abendstimmungen und Kakteen, mit Kugelschreiber verlängert, Landhäuser, deren Fassaden beschmiert oder mit Pastellkreide tiefbraun befleckt waren. Irgend jemand hatte das Album als Übungsbuch benutzt, als Zeichenbuch.

Ich habe es hier im Haus gefunden, hatte der Junge gesagt, du bist auch drauf, hast du gesehen, mit deinem Vater und deiner Mutter, schau mal, hier, es lag in einem Schrank auf dem Dachboden, bei dem Zeug da, er deutete auf die Sachen, die er mir zuvor gebracht hatte, er hätte alles vor Jahren gefunden, sagte er und war danach in ein schnatterndes Lachen ausgebrochen, und ich hatte in selbstverständlichem Ton mit ihm darüber gesprochen, wie ein Junge, der mit einem anderen Jungen über neue CDs spricht. So außergewöhnlich sei es überhaupt nicht, sagte ich ihm, es sei eigentlich ein ganz normales Album, zu Hause hätten wir noch viel mehr, meine Mutter hat mir davon erzählt, es seien die nicht so wichtigen Fotos gewesen, wertlose Aufnahmen, das sieht man gleich, sie wollte sie eigentlich wegwerfen, das wisse ich noch genau, sie habe sie an einem Dienstag neben den Müll gestellt, aber ein Nachbar habe sie wieder zurückgebracht, jemand, der meinen Vater gekannt und auf dem Foto wiedererkannt hatte. Meine Mutter habe das Album dann auf den Dachboden gebracht, sagte ich, also hier in diesem Haus, und als wir umzogen, habe sie nicht mehr daran gedacht.

Meine Mutter sammelte Fotoalben, behauptete ich, sie kaufte sie auf Versteigerungen, manchmal dutzendweise, willkürliche Alben, egal, von welchen Familien, darum ginge sie auch zu fast allen Schultreffen in Holland, heute abend ginge sie wieder zu einem, auch von Schulen, die sie nicht besucht hat, fragte er, ja, auch zu solchen, sagte ich, sie sei einmal bei einem Treffen gewesen, wo es eine Bombendrohung gegeben habe, das ganze Gebäude sei geräumt worden, kannst du dir das vorstellen, sagte ich, manchmal übten wir mit den Fotos, sagte ich, Gegenstände raten, wer die meisten wußte, hatte gewonnen. Ich habe es schade gefunden, daß sie gerade diese Fotos wegwerfen wollte, denn auf einigen sei ich doch gut getroffen, findest du nicht, und ich zeigte ihm das Foto von dem kleinen Nackedei, zu Hause haben wir mehr als genug, du kannst es haben, und ich wollte das Foto herausreißen und ihm geben, zur Erinnerung, sagte ich, aber er war erschrocken zurückgewichen, als habe das Foto Malaria. Deshalb seien wir hier in D., sagte ich, wir wollten alles abholen, meine Mutter habe alles im Haus ihrer Freundin hier in D. gelagert, das sei einfach am bequemsten, außerdem sei sie auch auf Curaçao gewesen, sie habe nun mal mehr Platz auf dem Dachboden und weniger Probleme mit Geistesverwirrungen.

Ich ging weiter am Fluß entlang, an einer Laterne blieb ich wieder stehen und schaute in das Album.

Er hatte erzählt, daß nicht er die Fotos zerschnitten und beschmiert habe, die seien schon immer so gewesen, sagte er, die klebten schon immer so im Album, zuerst habe er es komisch gefunden, aber seine Mutter habe sich keine großen Gedanken gemacht, offensichtlich war es von jemand, der genug davon gehabt habe, habe sie gesagt, vielleicht der vorige Bewohner, das hatte sie offen gelassen, aber ich sei es jedenfalls auch nicht gewesen, hatte ich gesagt, und eine Stille war entstanden, als suchte er nach Worten, um sie mir ins Gesicht zu spucken, er sagte auch etwas, aber ich konnte nicht verstehen was, es hätte auch aus dem Schrank hinter ihm kommen können, es war einfach sein Atem gewesen oder der meiner Mutter, die sich noch hier herumtrieb und mit einem Schlag das ganze Album vollgekotzt hatte. Was wollte sie damit erreichen, warum hatte meine Mutter die Fotos beschmutzt und in diese Reihenfolge gelegt? Oder hatte der Junge es getan? Er sagte, er habe das Album oft angesehen und auch mal ein Foto anders hingelegt, das gab er zu, als eine Art Spiel, das jeder mal mit Fotos spielt, aber sonst sei er nie drangewesen. Drangewesen, sagte er, er sei nie drangewesen. Wirklich Fotos für ein Schultreffen, hatte ich gerufen, und wir hatten einen furchtbaren Lachanfall gekriegt, warum, wußten wir nicht, unterbrochen von Niesanfällen, glucksendem Keuchen, und nach dem Wechseln von Blicken wieder brüllendes Lachen. Eigentlich ein Witz, hatte er gesagt, hier sitzt der Junge, der sowohl auf Curaçao wie hier gewohnt hat, ist das nicht herrlich. Mit seiner Mutter, hatte ich gesagt, ja, mit seiner Mutter, und dann waren wir wieder still geworden, ich hätte gern länger mit ihm über meine Mutter gesprochen, daß sie sich verlassen fühlt, genau wie bei The Bold and the Beautiful, wollte ich wiehernd hinzufügen, aber die Stille war größer geworden, und ganz vorsichtig hatte ich mich dem Fotoalbum genähert, mich hineinvertieft.

Bei der Brücke unten an der Treppe blieb ich wieder stehen.

Der Junge war bei mir sitzengeblieben, und wir hatten verabredet, uns heute abend in der Altstadt zu treffen vor einem der Geschäfte, dem großen Fernsehgeschäft, hatte er gesagt, und ich hatte ihm von dem Heft erzählt mit den Vögeleien, bring's mal mit, hatte er gesagt. Und die Unterhaltung war verstummt, ich wußte, daß er mich betrachtete, eine vertraute Form des Betrachtens, wie meine Mutter mich manchmal ansah, wenn ich ihr zu Hause auf dem Flur begegnete. Er sah mich an, wie er mich von Anfang an angesehen hatte, wie einen Jungen, von dem er nicht wußte, ob es derselbe war wie der, den er gerade vom Balkon aus gesehen hatte, wie jemand, bei dem er sich nicht sicher war, ob sich die ganze Mühe lohnen, ob dies nicht alles in endlosem Geschrei enden würde, bei dem er mich schließlich die Treppe hinunterwerfen oder mit einem Messer auf meinem Bett erstechen würde. Gehst du mit, sagte er, aber ich wußte nicht, was er meinte, was meinst du, sagte ich, gehst du heute abend mit zu diesem Treffen, sagte er, was ich jedoch nicht vorhatte. Plötzlich war die Zimmertür aufgegangen und die Tante des Jungen kam herein. Ruckartig hatte ich den Kopf vom Fotoalbum abgewandt, als handle es sich um ein verbotenes Buch. Sie war wie ein regloses Denkmal in der Tür stehengeblieben, hinter ihr ein ausgesparter schwarzer Raum, plötzlich hing ein gähnender Raum im Zimmer, als hätte ich eine Maske abgesetzt und als sei nun mehr Platz für meine Augen.

Es ist schon halb sechs, hatte sie gesagt, ohne sich auch nur einen Moment dem Fotoalbum zu widmen, für sie existierte es überhaupt nicht, es hätte genauso gut eine Nummer von *Privé* sein können, und auch der Junge bemühte sich nicht, es vor ihr zu verstecken. Wahrscheinlich hatten sie es schon oft genug gesehen, jedesmal, wenn sie bei ihnen zu Besuch war, was oft vorkam, hatten sie es nach dem Abendessen gemeinsam angesehen und sich über die Zeichnungen auf den Fotos kaputtgelacht, könnten Zeichnungen von Schwachsinnigen sein, hatte sie gerufen, ihr war gar nicht aufgefallen, daß es Fotos von Curaçao waren, man hatte es ihr zwar gesagt, aber wichtig hatte es niemand gefunden. Ich hatte meine Hand so unauffällig wie möglich daraufgelegt, als habe sie die ganze Zeit so da gelegen und wir hätten nur zufällig darin geblättert, weil wir uns, ebenfalls zufällig, über das Schultreffen meiner Mutter unterhalten hatten. Seine Tante war besorgt, das schon, aber die Besorgtheit hatte wenig mit mir zu tun, sie richtete sich ganz auf den Jungen, der, nachdem wir über das Heft mit den Vögeleien gesprochen hatten, nicht mehr viel gesagt hatte, nicht einmal über Curaçao, kein einziges Wort des Erkennens war mehr über seine Lippen gekommen, er hatte nur noch in das vollgekritzelte Fotoalbum gestarrt, ab und zu gemurmelt, ich sei tatsächlich gut getroffen, als kleiner Junge, sie hätten sogar einmal eine Anzeige aufgeben wollen, aber daraus sei nichts geworden, weil sein Vater in den letzten Jahren erkrankte, alles habe wahrscheinlich auf einem Mißverständnis beruht, oder einem Witz, dem Witz des verschwundenen Fotoalbums, hatte ich gesagt.

Dieser Junge verspottete mich, gerade durch sein Schweigen. Von dem Moment an, als er auf dem Balkon aufgetaucht war, war das seine Absicht gewesen, zuerst, indem er mir ein Theaterstück mit einem Lied über einen Ausflug zu Pferde durch den Wald auftischte, und dann, indem er mich unter falschem Vorwand ins Haus lockte, komm doch spielen, als sei ich ein Kind. Er wollte mich locken und verspotten, das war der Plan. Er schreckte nicht vor den billigsten Mitteln zurück, eine Cousine, eine Tante und greifbare Erinnerungen an etwas, was schon lange vorbei war, vorbei und vergessen. Der Clou war dann das triumphale Vorführen des Fotoalbums, das schien ihm am besten, zuerst locken wir ihn ins Haus und dann zeigen wir ihm das Fotoalbum, dann geht er damit nach Hause und zeigt es seiner Mutter, und dann tanzen die Puppen. Ich war aufgestanden und hatte gesagt, ich müsse gehen, ich müsse nach Hause, morgen käme ich wieder und würde ihnen meine Mutter vorstellen, sagte ich, heute abend könne sie nicht, weil sie zu einem Treffen ihrer alten Schule ginge. Seine Tante hatte das Zimmer verlassen, du mußt jetzt gehen, hatte sie gesagt, es paßt jetzt wirklich nicht gut, hat er dir denn nichts gesagt. Sie hatte das Fotoalbum auf meinem Schoß noch immer nicht gesehen, und sie war noch nicht aus dem Zimmer, als schon ein Geschnatter von Wörtern aus den Nasenlöchern des Jungen strömte, sie liefen ihm wie

Spucke übers Kinn und krochen durch die Luft auf mich zu, farbenfrohe Wörter waren es, rot, grün und hellgelb, mit ausdruckslosem Gesicht ausgesprochen, als wisse er, daß ich sie längst irgendwo gehört hatte. Er stieß sie krächzend heraus, seine Stimme glich der des verwelkten Höflings aus dem Lied, er war es nicht selbst, meine Mutter tat auch so, als sei nicht sie es, die auf mich einschrie, er imitierte die Stimme des Sängers auf dem Balkon, jedoch so, daß der Text unwichtig war, es ähnelte einer Parodie des Liedes. Hast du die schon gesehen, sagte er ein wenig später und zeigte mir ein paar Fotos, auf denen eine Reihe schwarzer Autos abgebildet war, in der Ferne ein weißer Kirchturm, aus dem ohrenbetäubendes Glockengeläut schallte, auf einem der Fotos war ich ein kleiner Junge, und neben mir stand eine schwarzgekleidete Frau.

Ich stand oben auf der Brücke und betrachtete das Foto in orangefarbenem Licht. Ich mußte jetzt schnell nach Hause, klappte das Album zu und steckte es unter meine Jacke.

Wir waren schweigend und eilig aus dem Zimmer gelaufen, im Treppenflur war es ganz dunkel gewesen, nur durch das Bleiglasfenster drang etwas Licht. Worüber wir sonst noch sprachen, weiß ich nicht mehr, wir waren kurz stehengeblieben, als seien wir bei einer Landschaft angekommen, wo nahezu ausgestorbene Pflanzen und Tiere zu Dutzenden heranwuchsen. Ich hatte doch noch etwas über Curaçao gesagt, daß wir dort Tiere hatten, glaube ich jetzt, ich hatte einen Witz gemacht, ich wollte die Stimmung zurückholen, die da war, als wir vor einer Stunde die Treppe hochgegangen waren, aber er hatte sich plötzlich umgedreht und war auf mich gefallen, sein Gesicht glitt über meines, als wollte er sich daran wärmen, es war kein Fallen gewesen, ich war über ihn gestolpert, so war es, sein trockener, knisternder Mund schob sich über meinen, erforschte meine Lippen mit Lippen, die sich auch einen Moment an meinem Mund festsaugten, ich öffnete den Mund und schob meine Zunge in seinen Mund, als wäre ich ahnungslos, er schnaubte wie ein Seehund, der kurz zum Atmen aus dem Wasser auftaucht. Wir standen voreinander, ich hatte die Augen geöffnet, nur ein Teil seines Gesichts war zu sehen, und als wir einander losgelassen hatten, sagte er etwas zu mir, ich verstand es zuerst nicht, er hatte etwas Witziges sagen wollen, ein paar Wörter waren es, daß ich nach nichts rieche, keinen Geruch habe.

Daß er nie auf Curaçao gewesen war, stand nun wohl fest, er hatte nur das Fotoalbum gefunden und sich vorgestellt, er sei einmal dort gewesen, er hatte gewußt, daß einmal ein Junge käme, der das Album abholen würde, er hatte es aufgehoben, bis ich gekommen war, er wollte mir die Wahrheit über den Kopf gießen, er hatte jahrelang gewußt, wer der Junge auf den Fotos war, das war also ich, und wer die schwarzgekleidete Frau war, die Freundin meiner Mutter also, er hatte meine Mutter vor ein paar Wochen an einem Nachmittag telefonisch darüber informiert, als sie sich bei uns zu Hause ausführlich vor dem Spiegel betrachtete, sie wußte also Bescheid, anschließend hatte sie das Pornoheft nach D. mitgenommen und es in die Kiste auf dem Dachboden gelegt, sie wußte, daß ich, nachdem ich es entdeckt hatte, unser altes Haus aufsuchen würde, wo ich meine trockene Zunge einladend in den Mund des Jungen schieben würde. Ich sollte ihr dankbar sein, weil sie mich mit diesem Jungen in Kontakt gebracht hatte.

Wir hatten einander losgelassen, ziemlich stümperhaft, fast wären wir aufeinandergefallen, ich sagte, wir werden es nie vergessen, aber was ich wirklich damit sagen wollte, wußte ich nicht, es hatte in meinem Mund geklungen, wir werden es beide nie vergessen, er hatte darüber gelacht, als brauchte er sich nicht mehr zu rächen, es war sowieso zu unwichtig gewesen, aber ich hatte etwas ganz anderes gemeint, etwas, was nicht für ihn bestimmt war, mein Gesicht hatte plötzlich zu brennen angefangen. Und wir waren die Treppe hinuntergerannt, als müßte das Haus sofort geräumt werden, unten im Flur war niemand mehr zu sehen, ich drückte das Fotoalbum an mich und verließ das Haus. Ich beschloß, mich nicht umzudrehen, als ich mich dann doch umdrehte, stand der Junge in der Tür, bis bald, rief ich. Er hatte nicht gewinkt.

2

Es war fast Essenszeit, unten aus der Küche und später aus dem Wohnzimmer kamen Lärm, Hämmern auf Tischen, Klirren, Geräusche vom Hin- und Herlaufen zwischen Schränken und Flaschen, vielleicht war ich schon zum Essen gerufen worden, aber es war nicht laut gewesen, ich saß in meinem Zimmer vor dem Bett auf dem Boden und blätterte langsam in dem Pornoheft. In einer Garderobe saß eine Frau rücklings bei einem Clown auf dem Schoß, wie eine Assistentin eines Zauberkünstlers gekleidet. Sie trug einen hohen Hut und einen Frack, dazu schwarze Netzstrümpfe, die an einem Hüftgürtel befestigt waren, ihre hochhackigen Schuhe berührten den Boden. Der Clown leckte mit spitzer Zunge ihre pochende Halsschlagader, er hatte den linken Arm unter ihr linkes Bein geschoben und steckte den Mittelfinger in ihre rotgeschminkte Möse, die andere Hand lag fast schwebend auf ihrer entblößten rechten Brust. Sie schaute angespannt an mir vorbei, grübelnd, sie hatte eine kleine Unebenheit unter dem Bild entdeckt, das über einer Kletterpflanze zwischen den Bücherschränken an der Wand hing. Auf der nächsten Abbildung saß sie immer noch auf seinem Schoß, aber nun waren sie mit dem Rükken zum Fotografen abgebildet, der unter einem Tuch verborgen war und die Kamera über ihre Schultern auf einen von Lampen umgebenen Frisierspiegel gerichtet hatte, in dem der dunkle, ausgestreckte Schwanz des

Clowns in ihrer Möse gut zu sehen war. Der Clown hielt einen rotbeschmierten Pinsel in der rechten Hand, der Fotograf wollte zeigen, daß der Clown die Frau für die nächste Zirkusnummer anmalte, zuerst war sie die Assistentin des Zauberkünstlers gewesen, aber gleich sollte sie als Clown auftreten, auf diesem Bild hatte sie schon einen weißen Clownsmund, in dem rote Lippen aufleuchteten, auf dem nächsten Foto war sie ohne Hut und er setzte ihr eine gelbe Clownsnase auf.

Wieder wurde von unten gerufen.

Während ich die Fotos betrachtete, klangen Stimmen aus den Abbildungen, kein Detail fehlte, ich konnte alles anfassen, schmecken und tasten, das flaumige Haar, die kleinen Hautunebenheiten, den Schatten unter den Waden, die Gänsehaut innen an ihren Schenkeln, die verklebten Härchen, die Falten, das mit Zirkusattributen vollgestopfte Zimmer, Hüte, Reifen, mit Sternen geschmückte Trommeln, Vogelkäfige, ein niedliches Porzellanhündchen, eine Peitsche, den Spiegel an der Wand, in dem die Verdoppelung von Schwanz und Möse noch besser zu sehen war, sie beschrieb dem Clown das Zittern ihrer Pobacken, weil er das nicht gut sehen konnte, und wenn er sich noch so bemühte, *alles* sehen zu können, die genaue Farbe der flaumigen Innenseite ihrer Schenkel, crèmeweiß wie ein altmodisches Brautkleid, gleich käme die Pferdenummer mit vierzehn Pferden und zwei Ballettänzerinnen, und danach sollten sie in die Manege, der Clown und sie, Schweiß glitzerte auf der weißen Stirn des Clowns, jemand rief von unten, und auf ein Zeichen des Zirkusdirektors, der in die Garderobe stürmen wollte, weil seine Frau dort saß, als die Pferde in der Manege mit den Tänzerinnen eine Pirouette drehten, der Geruch von Pferd und Mensch wehte schon ins Zimmer, unter lautstarkem Peitschenknallen, spritzte er in die Luft, sein

Mund und seine Wimpern mußten zittern, die Frau verschob ihren Mund auf seinem, tröstend und verlangend, weil sie wußte, daß sie beobachtet wurde, noch bevor sie in die Manege kam. Sie deutete mit dem Zeigefinger auf den Spiegel, auf mich.

Ich ging nach unten.

Die Freundin meiner Mutter trug einen schwarzen Schlabberpullover, der bis unter ihre Knie reichte und ihr Gesicht noch blasser machte als es schon war. Sie saß am Eßtisch, meine Mutter neben ihr, und ich setzte mich ihnen gegenüber. Wir aßen Kohlrouladen mit Kartoffelbrei. Der Eßtisch stand im hinteren Zimmer vor einem Spalier hoher Pflanzen, das jede Aussicht auf das Fenster im Vorderzimmer nahm. Überall im Haus standen oder hingen Pflanzen und Blumen als Symbole eines besseren Lebens: in Vasen auf Tischchen, in braunen Kübeln auf dem Boden, an der Wand, zwischen den Bücherschränken, grüne Stränge, die die Tapeten überwucherten und zwischen denen schleimige Flecken glänzten. Pflanzen wie Finger, in obszöne Gebärden verwickelt, skurrile Moosskulpturen, zwischen denen winzige Wesen lagen, die den ganzen Tag ins Zimmer starrten, riesige schwarzgraue Blätter, die fortwährend die nackten Beine der Freundin meiner Mutter streiften, jeden Tag ein Stückchen höher und verzweifelter, zusammengepferchte Farne in feuerroten Vasen, traurig herabhängende gelbe und violette Blumen und Strohblumensträuße, lange Stiele mit braunen Fusseln. Der Abfalleimer in der Küche quoll über von geknickten Zweigen, vertrockneten Fettpflanzen und braungefleckten entlausten Blättern.

Schweißtropfen glitten von der Stirn meiner Mutter, als sei es im Zimmer sehr warm. Meine Mutter hatte sich ein Handtuch um den Kopf geschlungen. Hinter den Fenstern zur Straße surrten Autos, aber ich konnte durch die Pflanzen nichts sehen. Mitten auf dem Tisch, zwischen den Tellern und Töpfen, stand eine dicke Fettpflanze in einem kleinen grauen Topf, die immer größer wurde und mich nicht aus den Augen ließ.

»Du bist früher auf Curaçao gewesen«, sagte ich, »als wir auch dort waren, war es da sehr warm oder ging es? Warum bist du nach Curacao gegangen? In letzter Zeit fällt mir immer mehr aus Curaçao ein, ich weiß eigentlich nur ganz wenig darüber.«

Gerade war eine Pause in einem Gespräch entstanden, in dem meine Mutter und ihre Freundin die Zukunft der Niederlande als eine mit drastisch zunehmender Asphaltierung schilderten. In fünf Jahren würden Wälder und Pflanzen verschwunden sein. Meine Mutter meinte, ganz Holland werde innerhalb kurzer Zeit in einen endlosen Flugplatz verwandelt, auf dem jede Minute riesige Flugzeuge landeten, die, weil sie einen günstigen Preis auf dem Weltmarkt erwarteten, lebensgefährliche Güter zu Deponien transportierten. In dem Augenblick, als ich, auch für mich unerwartet, das Wort ergriff, glitt eine rote Glut über meinen Körper, als lüde ich die Freundin meiner Mutter ein, an einem verbotenen Ritual teilzunehmen, Blut sammelte sich an den verschiedensten Stellen unter meiner Haut, auf der Suche nach einem Ausweg, den es nie mehr gäbe. Eine tödliche Stille entstand. Ich hätte besser über das Schultreffen heute abend gesprochen, daß sich dahinter eine viel größere Gefahr für Holland verberge als in der Asphaltierung, Pflanzen sterben sowieso, hätte ich sagen sollen, an solchen Treffen geht die ganze Wirtschaft zugrunde, hätte ich hinzufügen sollen, Königin Beatrix habe sich schon darüber bei ihrer letzten Weihnachtsansprache Gedanken gemacht, wo soll das nur hinführen mit den Schultreffen, sagte sie, erinnert ihr euch.

Die Freundin meiner Mutter sah mich an, als sehe sie mich zum erstenmal, ich war jemand, der bei ihr wohnte, wurde ihr bewußt, sie hatte ihre normale halb-abwesende Haltung verloren, hatte sich aufgrund meiner Fragen an etwas erinnert, an etwas, worüber sie mit mir sprechen wollte, es war nichts Schlimmes gewesen, meine Mutter hatte nichts bemerkt, sie starrte mit hängenden Schultern auf ihren Teller, als hätte auch da schon die Asphaltierung zugeschlagen. Ihre Freundin hatte Wörter aus meinem Mund kommen sehen, sie fühlte sich getroffen, sie fühlte sich verpflichtet, meinen Mund als eine Öffnung, als Fenster zu betrachten, als etwas Dunkles, das das Dunkle selbst in ihr geweckt hatte, wie eine architektonische Konstruktion, die später nur noch angestrichen werden müßte und auf die sie weiter ihren Blick heftete. Früher war sie schön gewesen, sie war auch heute noch schön, ich konnte es an ihren dunklen Augen sehen, die mich ab und zu streiften, schöner als meine Mutter, nicht so schön wie das Tanzmädchen heute nachmittag in unserem alten Haus, sie war immer gepudert gewesen, nicht überall, aber bestimmt an geheimen Stellen, wo der Puder abgeleckt werden sollte. Am allerschönsten war sie in meiner Erinnerung in Verbindung mit etwas Unverständlichem, was aber gesagt oder gesungen worden war, ich erinnerte mich nicht mehr an die Wörter, sondern nur an die Umgebung, an eine weiße Bank auf einer verdorrten Wiese, ein offenes Fenster, vor dem sie bei einem Korbsofa stand, an der Wand hingen Tierzeichnungen, nackte Arme, die sich zu mir hinbewegten, ich wollte sie auf etwas hinweisen, wußte aber nicht mehr, worauf, eine offene Tür eines leeren Zimmers. Sie wußte noch alles, in der schwarzen Kiste auf dem Dachboden war ihr ganzes Wissen aufbewahrt.

»Ich war bei euch, es war eine Art Urlaub«, sagte sie.

Sie war sehr empfindlich, sie suchte Hilfe bei meiner Mutter, sah sie an, als habe diese dieselben Erinnerungen. Der Urlaub war überhaupt nicht schön gewesen, ließ sie durchblicken, darüber waren sich alle einig, sie hatte ihre Worte sorgfältig gewählt, ohne zu wissen, wie sie es am besten sagen konnte, sie beschloß, mir nicht zu sagen, daß sie von der Zahl der Schwarzen auf der Insel enttäuscht war, es waren viel weniger, als sie sich vorgestellt hatte, wieder schaute sie zu meiner Mutter, sie war damals wahrscheinlich noch viel zu jung, um auf einer Insel Urlaub zu machen, noch nicht aufnahmefähig für Erinnerungen, vielleicht war sie aus Verzweiflung über die Fragen, die ich zweifellos noch stellen würde, so empfindlich.

»Warum fragst du das eigentlich?« fragte sie.

Auf diese Gegenfrage hatte ich mich nicht vorbereitet, meine Mutter auch nicht, sonst hätte sie mir durch Gesten oder Tritte unterm Tisch schon klar gemacht, daß ich viel zu weit gegangen war. Ihre Freundin hatte mir noch nie eine solche Frage gestellt, ihre Augen leuchteten in ihrem blassen Gesicht auf, wir betrachteten uns und sahen, daß wir uns betrachteten. Mir war es ziemlich egal, warum ich es gefragt hatte, jetzt war der Moment gekommen, um über das Album zu sprechen, das in unserem alten Haus zurückgelassen worden war, ich hätte hinaufgehen und es anschließend einfach auf den Tisch werfen sollen. Seht mal, was ich gefunden habe, würde ich sagen, es lag in unserem alten Haus, da war ich heute nachmittag, meine Mutter hat es dort liegenlassen, früher, weißt du noch, sie wollte es nicht mehr haben. Ich würde dabei begütigend dreinschauen, meine Stimme klänge heiter, als erzählte ich einen fröhlichen Film nach mit Verfolgungsszenen, die nur spaßig gemeint waren.

Vielleicht war es am besten, das Album nach dem Essen, wenn meine Mutter das Geschirr spülte, zuerst der Freundin meiner Mutter zu zeigen, ich würde ihr etwas ins Ohr flüstern, während ich ihr die Lippen rot anmalte, und dann würde sie mich in die Geheimnisse der zahllosen Fotos einweihen, die wie Vögel auf den schwarzen Kartons klebten. Das sind die Neger, würde sie sagen, während ihre Finger über die Fotos glitten, und das ist die Königin.

»Heute mittag fand ich auf dem Dachboden Bücher über Curaçao«, sagte ich, »die mit den Ölraffinerien, so kam ich drauf, ich erinnere mich noch an ziemlich viel, ich würde gern noch einmal hinfahren. Ob es unser Haus noch gibt?«

Meine Antwort überspülte ihre Frage, die bedrohlich gewesen war, auch wenn sie noch so leicht geklungen hatte: warum-fragst-du-das¡ eigentlich. Es war eine Frage, die wirklich eine Antwort wollte, das hatte meine Mutter sofort erkannt. Ihre Freundin wollte offensichtlich über Curaçao weiterreden, und ich versuchte klarzumachen, mir sei es ziemlich egal, worüber wir beim Essen redeten, daß ich die Bücher über Curaçao auf dem Dachboden nur flüchtig durchgeblättert und schnell wieder weggelegt hätte, weil Königin Beatrix fast auf jeder Seite dazu aufrief, uns nicht mehr verlassen zu fühlen, auch nicht durch die schwierigen Umstände, sie hatte komplizierte Reden darüber gehalten, die sie selbst in die Praxis umsetzte, indem sie sich inmitten Tausender anderer Leute fotografieren ließ. Aber ich sah, daß meine Mutter unserem Gespräch nicht ganz traute, sie überlegte, was wir meinten, wir wollten uns etwas ganz anderes sagen, vermutete sie, aber was, an Curaçao hatte sie selbst eine gute Woche nicht gedacht, jahrelang übrigens nicht, kein Wort mehr über Curaçao, hatte sie mir vor Jahren zugebrüllt, und jetzt unterhielten wir uns ganz locker darüber. Hatte unser Gespräch etwas mit dem Mann ihrer Freundin zu tun, sie wußte nicht mehr genau, ob er auf Curaçao schon dabei gewesen war, doch schade, daß sie alle Alben aus der Zeit weggeschmissen oder in Häusern vergessen hatte. Jetzt war wahrscheinlich nicht der richtige Moment, ihr diese Fragen zu stellen, unser Gespräch hatte sich Curaçao zugewandt, damit hatte sie überhaupt nicht gerechnet, obwohl sie sich in den letzten Jahren ausführlich auf diesen Fall vorbereitet hatte. Wenn sie dann dennoch über Curaçao reden wollen, hatte sie gedacht, dann sorge ich dafür, daß an dem Abend ein Schultreffen stattfindet.

Die Freundin meiner Mutter zündete sich eine Zigarette an.

»Ich habe noch ein paar Sachen von Curaçao«, sagte sie, »sie liegen auf dem Dachboden.«

Sie lachte meiner Mutter zu, aber die starrte vor sich hin.

»Er darf nicht mehr auf den Dachboden«, sagte meine Mutter.

Ich beugte mich tief über meinen Teller, als wollte ich dadurch meinen Kreislauf besser in Gang bringen, aber weil es auf meinem Teller nichts zu sehen gab, konnte ich nicht sehr lange so da sitzen, obwohl ich damit rechnete, daß die Freundin meiner Mutter meine Haltung ganz normal fände. Meine Mutter hatte ihr oft weisgemacht, es sei ein Zeichen meiner hohen Intelligenz, die sich in der Schule nicht immer hinlänglich gezeigt hatte, regelmäßig und lange auf Gegenstände zu starren. Wo hatte ich das Album eigentlich hingelegt, das ich aus unserem alten Haus mitgenommen hatte? Ich hatte es, als ich nach Hause kam, gleich in mein Zimmer gebracht, aber wo lag es? Wo lag das Heft mit den Vögeleien? Ich hatte nicht damit gerechnet, daß jemand Erinnerungen an Curaçao auffrischen würde.

»Ich gehe schnell mal suchen«, sagte sie.

Meine Mutter und ich blieben ratlos zurück, meine Mutter, weil sie über die Wende des Gesprächs bestürzt war, und ich, weil ich nicht mehr wußte, wo ich das Album aus unserem alten Haus hingelegt hatte. Fast allein, dachte ich.

»Wo warst du heute mittag?« sagte meine Mutter.

»Zuerst wollte ich ans Meer«, sagte ich, »aber es war windig, deshalb bin ich kurz an unserem alten Haus vorbeigegangen.«

Sie schwieg und sah mich an, erstarrt bis unter die Haut. Ich atmete langsam. Sie hatte in dem Moment einen Hörsturz, lokal und nicht behindernd, was ich nur allzu gut kannte, es war wieder mal so weit, es äußerte sich bei ihr in aufwogendem und verebbendem Schreien, das immer ohne Ankündigung zu kommen schien und sich nur im nachhinein erklären ließ, wie auch Tiere nie vorher wissen, warum sie irgendwohin gehen und erst am Brunnen merken, daß es der Durst war. Dieses Schreien gehörte nicht zu ihr, redete sie sich selbst ein, sie suggerierte immer, es stamme von jemand anderem, der sich auf unerklärliche Weise mit ihr befasse, sie distanzierte sich immer direkt davon, eigentlich empört, weil ich dennoch versuchte, es mit ihr in Verbindung zu bringen, und mein Widerstand, der sich früher in zimperlichem Weinen äußerte, war allmählich zu Schweigen geworden, als beträfe es nicht mich, sondern einen anderen, eine weggelaufene oder verschwundene Schwester, die plötzlich wieder bei uns aufgetaucht war und doch wieder weggehen oder an einer Krankheit sterben würde. Ich erinnerte mich nicht mehr, wann es angefangen hatte. Eines Tages hatte sie auf einer staubigen Straße vor unserem

Haus auf Curaçao die Schildkröte eines Nachbarmädchens totgetreten, das weiß ich schon noch. Vielleicht hatte es danach angefangen.

»Was meinst du damit?«, sagte meine Mutter.

Ich wußte nicht, was sie meinte.

»Was meinst du damit?«, sagte ich.

»Du sagtest gerade, wir seien endlich allein«, sagte sie, »was wolltest du mir erzählen?«

Offensichtlich wollte sie das Schreien lieber noch ein wenig hinausschieben, es ging hier auch nicht so gut, sie neigte sich zu mir, eine dreiundvierzigjährige Frau, voller Sorge, bis zur Lächerlichkeit, nie bereit, diese Besorgtheit zu verbergen, immer zu haben für minutenlange theatralische Vorführung derselben. Falten auf der Stirn, in einem flauschigen Pulli, um Weichheit auszudrücken.

»Ich gehe heute abend noch in die Stadt«, sagte ich, »während deines Schultreffens, wenn es überhaupt stattfindet, ich habe wieder einen alten Freund getroffen, von früher, er wohnte früher neben unserem alten Haus. Vielleicht erinnerst du dich noch an ihn.«

Ich beschrieb einen Jungen, den ich im Zug nach D. gesehen hatte, einen kleinen Jugendlichen, etwa sechzehn, er trug eine weiße Weste mit schwarzen vertikalen Streifen. Er hatte am Fenster gesessen, schräg hinter meiner Mutter, und hinausgeschaut.

»Warum sollte das Treffen nicht stattfinden?« sagte sie.

»Das kann nur stattfinden, wenn die Vergnügungssteuer bezahlt ist, wußtest du das nicht, oft vergessen das die Organisatoren solcher Treffen. Manchmal werden sie auch von der Polizei verboten, im Zusammenhang mit Sittlichkeitsdelikten.«

Sie zögerte das Schreien noch immer hinaus.

»Hat es hier früher auf dem Dachboden auch soviele Bücher gegeben«, sagte ich, »meiner Meinung nach waren es viel weniger, vor allem in letzter Zeit sind ziemlich viele dazu gekommen.«

Meine Mutter ging nicht darauf ein.

»Das Treffen findet einfach statt«, sagte sie.

»Und wem gehören die Bücher eigentlich genau?« sagte ich.

Ich gab meiner Stimme einen empörten Ton, als wäre ich richtig böse, wenn mir die Antwort auf diese Frage nicht gefiele, ich wollte um jeden Preis wissen, wem sie gehörten, das war von allergrößter Wichtigkeit, ich würde hier alles kurz und klein schlagen, wenn meine Mutter diese Frage nicht umgehend, eventuell schriftlich, beantwortete, auch wenn es sich um ganz gewöhnliche Romane und Kunstbücher mit Van Gogh¡ Abbildungen handelte, die sich jeder mal ansah oder die jeden einmal ansahen.

»Nun«, sagte meine Mutter, »da mußt du Susan fragen. Wir kommen heute abend spät nach Hause, das Schultreffen dauert lange, hinterher wird noch getanzt.«

Sie sagte es in wehmütigem Ton, als hätte sie nun gerade zum Tanzen keine Lust, wenn hinterher Schwimmen angesagt wäre, hätte sie bestimmt keine Bedenken gehabt, das wäre kein Problem, da hätten sie mitgemacht, sie in einem Liegestuhl am Beckenrand und ihre Freundin auf dem Rand halbnackt mit leicht bebenden Brüsten und aufragenden Brustwarzen, die Beine im zartgrünen Wasser der schwach beleuchteten Schwimmhalle.

Meine Mutter war von frühester Kindheit an mit der Frau befreundet, die nun oben in der Kiste kramte und sich dabei nicht nur überlegte, ob alles noch da, sondern auch, wo wohl das Heft mit dem Clown und den Spiegeln geblieben war. Wer hatte es stibitzt? Sie hatte keine Ahnung. Meine Mutter? Sie besuchten als Mädchen dieselbe Schule, hatten sich nie ganz aus den Augen verloren, obwohl ihre Freundin, wenn ich mich recht erinnerte, nie bei uns übernachtet hatte. Sie waren Busenfreundinnen, wie sie selbst oft betonten. Worauf ihre Freundschaft beruhte, war mir nicht immer ganz klar, meine Mutter beklagte sich zu Hause oft über sie, sie fand sie geziert und launisch, mannstoll, manchmal sogar unausstehlich egoistisch, gestern abend saßen sie mucksmäuschenstill nebeneinander und sahen fern, aber kurz darauf demonstrierten sie ein unbegreifliches Zusammengehörigkeitsgefühl, das stundenlang anhielt und ihren Einklang auf einmal ganz logisch machte. Kindliches Lachen, aufdringliches Knuffeln mit lärmendem Hin- und Herlaufen von der Küche zum Eßzimmer, als geschehe etwas, was ihr ganzes Leben verändern könne, unterbrochen von trägen Unterhaltungen beim Fernsehen. Beide wollten wirken wie ein wenig unglückliche Frauen, mit denen man, selbst wenn man sie nicht kannte, Mitleid haben durfte, die ihr Leben mit Büchern über andere Frauen lebten, denen es am besten genau so ging wie ihnen und die sie deshalb von Herzen haßten. Sie waren auch mal böse aufeinander, aus nichtigen Gründen, jemand hatte am Telefon etwas über ein Kleidungsstück, ein Fernsehprogramm gesagt, es war nicht klar, was genau gesagt wurde, darum ging es nicht, es hätte genauso gut ein willkürliches Wort sein können, und dann war es plötzlich wieder vorbei, weil ein anderes Wort ins Zimmer geweht war.

Was sollte ich sagen, wenn Susan das Album zufällig in meinem Zimmer entdecken sollte? Ich wollte meinen Besuch in dem alten Haus lieber verschweigen. Ich hätte es auf der Straße von jemandem bekommen, der gehört hatte, daß ich auf Curaçao gewohnt habe? Aber wie soll er das gehört haben? Das würde meine Mutter interessieren, sie selbst schwieg über Curaçao schon jahrelang wie ein Grab. Wie könnte ich mich aus der Affäre ziehen? Es war ganz anders, würde ich sagen, ich hätte vor ein paar Wochen eine Annonce in einem Anzeigenblatt von D. aufgegeben, in dem ich Leute, die auf Curaçao gewohnt hatten, bat, sich zu melden. Aber das klang nicht glaubwürdig, vielleicht war es besser, einfach zu behaupten, es habe schon jahrelang hier im Haus herumgelegen. Es war auf dem Dachboden, würde ich schreien, warum habt ihr es mir, verdammt nochmal, nie gezeigt, ihr Schlampen. Die Entdeckung des Albums war jedoch unwahrscheinlich, die Freundin meiner Mutter hatte, soviel ich weiß, seit wir hier wohnten noch nie mein Zimmer betreten. Obendrein lohnte es sich nicht, meine Mutter hätte es gelangweilt durchgeblättert. Ach, da ist ja das Album wieder, hätte sie gesagt, schön, es mal wieder zu sehen, wo war es denn, hier auf dem Dachboden, na so was, was für eine Überraschung, ich schenk es dir, und noch am selben Abend läge es im Mülleimer auf den Tulpen.

»Morgen gehe ich wirklich ans Meer«, sagte ich.

Nur das Summen der Abzugshaube über dem Küchenherd war zu hören. Danach hörte man im Flur Gepolter auf der Treppe.

»Wir hatten früher ein Fotoalbum von Curaçao«, sagte ich, »mit Fotos von damals, als wir dort wohnten, wo ist das eigentlich, weißt du das noch? Ich habe es schon lange nicht mehr gesehen.«

Die Freundin meiner Mutter kam ins Zimmer, sie hatte sich umgezogen, die Haare hingen ihr strähnig vom Kopf auf die Schultern, sie trug einen weinroten Bademantel. In der Hand hielt sie den Sommerhut mit dem zerknitterten weißen Band und das Stück Koralle.

3

Das Fotoalbum lag auf dem Stuhl neben meinem Bett, ich blätterte die Seiten um, es gab kein Foto von meiner Mutter. Das einzige Foto, das sie mit meinem Vater und mir zeigte, war beschmiert und zerkratzt, sie war kaum zu erkennen, was ihr selbst wahrscheinlich nicht viel ausmachte, weil sie ihr ganzes Dasein immer undeutlich und unberechenbar halten wollte. Unvermutet stürmte sie zu Hause oder hier in mein Zimmer, als könnte ich mich jeden Augenblick aufhängen, unerwartet stand sie im Flur oder im Treppenhaus vor oder hinter mir, saß neben mir am Tisch, obwohl ich nichts gehört oder gesehen hatte. Sie beobachtete mich unablässig, wie ein Quizmaster seinen Kandidaten beobachtet. Oft schlich ich mucksmäuschenstill durchs Haus, von einem Zimmer ins andere, vor allem wenn sie wochenlang auf dem Bett lag und vor sich hinstarrte, in der Hoffnung, sie würde mich nicht hören, ich war ein Tier mit lautlosen Gliedern geworden, das sich zitternd vor Angst an einen sicheren Ort schleppte, unsichtbar wie eine Wolke, die langsam am Boden voranschwebte. Es war garantiert am besten, nicht davon anzufangen. Ihr Schreien war der Preis, den ich für mein Leben mit ihr bezahlte, es gehörte dazu; sobald sie merken würde, daß ich viel lieber allein wäre, würde das Geschrei endgültig von ihr Besitz ergreifen und ihr Leben zur Hölle machen.

Das Pornoheft lag unterm Kissen, über meinem Bett

brannte eine Lampe, die Vorhänge am Fenster waren zur Seite geschoben. An der Wand mir gegenüber, direkt über einer Kletterpflanze, die über den Bücherschrank wucherte, hing ein Bild, das mich auch gestern abend, bevor ich einschlief, ausführlich studiert hatte. Es war die Reproduktion eines Gemäldes aus dem Mittelalter, etwa zwanzig mal dreißig Zentimeter, und wurde vermutlich von der Freundin meiner Mutter aufgehängt, kurz nachdem ihr Mann sie verlassen hatte; es symbolisierte diese Verlassenheit, sie wollte auch ihren Logiergästen demonstrieren, daß sie verlassen worden war. Kaum hatte er an einem schönen Sommerabend das Haus verlassen, hatte sie es auch schon aufgehängt, blitzschnell, bevor er sich besinnen und wieder zurückkommen könnte. Das Gemälde zeigte ein großes, halboffenes Zelt mit nur einer Mittelstütze, innen war wenig zu sehen, im vorderen Raum stand ein Bett, in dem ein bärtiger Mann lag. Er war vermutlich schon eine Weile tot, oder er tat so als ob. Vor dem Bett, auf dem anmontierten Brett, saß ein junger Mann im weißen Mantel mit zierlicher Mütze, der, mit einem traurigen Zug um den Mund, den leicht schräg geneigten Kopf mit der rechten Hand abstützte, als wäre er ebenfalls schon eine Weile tot oder würde es üben, ohne es bisher noch zu seinen Gliedmaßen durchdringen zu lassen. Es schien, als hielte er bei dem Mann Totenwache. Er sah ein wenig mißbilligend drein und schüttelte ab und zu mitleidig den Kopf über soviel Dummheit um ihn herum. Zu beiden Seiten des grübelnden jungen Mannes und des Bettes stand je ein Soldat Wache, obwohl es keinen einzigen Grund gab, Wache zu stehen, weit und breit gab es keinen Feind, sie paßten auf nichts auf, einer der beiden hatte den Kopf zum Zelteingang gedreht, als müßte er aufpassen, daß keiner wegläuft. Der andere schaute direkt ins Zimmer. Der Titel des Gemäldes *Der Traum des Constantin* stand auf einem ausgesparten Streifen Weiß. Die Männer auf dem Bild, auch der Tote im Bett, außer dem einen Wächter, der nur ins Zelt hineinschaute, sehnten sich nach dem Zimmer, in dem ich war, sie wollten für immer darin Platz nehmen und wahrscheinlich taten sie es auch in meiner Abwesenheit, alles, was in diesem Zimmer passierte, wurde genauestens verfolgt und in aller Ausführlichkeit auf dem Bild besprochen. Die Reproduktion war im Lauf der Jahre verblaßt, die Erwartung in den Augen der dargestellten Männer war schwächer geworden, aber gleichzeitig blieben alle Eindrücke des Zimmers haarscharf in diesem Bild bewahrt.

Sie sprachen gern über den Vorfall vor einigen Jahren, als sich der Mann oder Freund der Freundin meiner Mutter in diesem Zimmer von seiner Sekretärin, die über Nacht bei ihm geblieben war, hatte wichsen lassen. Der junge Mann behauptete, es sei gegen vier Uhr morgens gewesen, es habe Licht gebrannt. Die Sekretärin habe ein Geräusch gehört und sich im Bett aufgesetzt, er habe sich wie ein Kind, das um ein Bonbon bittet, vor sie hingestellt, doch darüber waren die Meinungen auf dem Bild schon ziemlich geteilt. Ihr konntet es nicht richtig sehen, behauptete einer der Wächter, du standest mit dem Rükken zu ihm, ja, das stimmte, aber später nicht mehr, er wollte seinen Schwanz in ihren Mund stecken, rief der Mann aus dem Bett, aber sie wollte ihn nur wichsen, das macht weniger Krach, darüber sprachen sie noch, weißt du das nicht mehr, sie blies ihm einen, rief der Mann neben dem Bett, alles Quatsch, sagte der Junge, sie hat seinen Schwanz in ihren Händen nur gepreßt und hin und her gezogen, zuerst war er noch ganz schlaff, na, du spinnst wohl, rief der andere Wächter, er war hart wie ein Feuerwehrschlauch, und darauf konnten sie sich dann einigen, und es habe nicht so lange gedauert, obwohl sie erst noch ihre Brille suchen mußte, sie lachten sich auf dem Bild jetzt noch kaputt über soviel Ungeschick, und dann hätten beide gemeinsam das Sperma abgewischt, morgen ist es wieder trocken, habe er gesagt.

Es ginge nicht um eine Sekretärin, behauptete der weiße junge Mann auf dem Brett, es war die Freundin seiner Mutter mit seinem Vater, sie habe dabei geweint, erzählte er, und er habe ihr seinen Schwanz geradewegs in den Mund geschoben, sie mit der Zunge drumherum und dann nix wie reiben, Curaçao, Curaçao, habe sie als Ansporn gerufen, wißt ihr noch, rief jemand, nein, stimmt nicht, riefen die anderen, verpiß dich, schnell, schnell, schnell, habe er geschrien, gleich wachen sie auf, sie sagte überhaupt nichts, wer bläst, kann nichts sagen, du solltest dich mal untersuchen lassen, Mann.

Meine Mutter stand in der Tür meines Zimmers. Ich beugte mich über das Album. Sie trug einen grünen Morgenrock, der ihren Körper bis zum Boden bedeckte.

Sie begann zu sprechen, zuerst war es noch kein Schreien, die Wörter kamen am Anfang noch in normaler Reihenfolge aus ihrem Mund, zwar etwas höher als sonst, mit einer Betonung, die dazu gehörte, ohne Schaum oder schwarzen Flecken, die dem Blick den Sinn entzogen, aber immer war es, als könne sie nichts dafür, immer und ewig, sie litt nun einmal an der Krankheit der fallenden Wörter, es war unmöglich, alles was sie sagte zu behalten, ich konnte mich später meist nur an weniges erinnern, nur daran, daß es komische Wörter waren, die ganz normal ausgesprochen wurden, als wolle sie die Nachbarn damit grüßen, guten Tag, ich leide im Moment an Worterschütterungen. Ich konnte mich nicht erinnern, wann es angefangen hatte, nach einem Ausflug ans Meer, nach einem Film auf Curaçao, nachdem sie Angst vor

Tieren bekommen hatte, ich wußte es nicht, es war nur für uns beide bestimmt, niemand sonst hätte es begreifen können, nur einige Wörter blieben hängen, auch jetzt wieder, Relevanz, schrie oder flüsterte sie schreiend, Relevanzvergangenheit, Drangbrust, Kaninchenqual, aber ich konnte nicht alles verstehen, weil sie nicht allzu laut sprechen konnte, fleckenlose Lippen, sagte sie, Nagetier, zischte sie mir entgegen, Quälratte, ich weiß es nicht mehr genau, es waren Tiersätze und Pflanzensätze, Pflanzensträhnen hingen vor ihren Augen, Amöben kamen über meine Fingerspitzen in meine Lippen, Wörter, die immer wiederkamen und manchmal auch ein bißchen langweilig wurden, das ist inzwischen bekannt, wollte ich sagen, du bist wie ein Hirsch im Brachland, eine sterbende Relevanzblubberqualle, wenn ich es zumindest richtig verstanden habe, aneinandergeschmiedete Wörter ohne Verlangen, Killerphrasen, ansteckend und staubig, und als ich älter wurde, veränderte sich das Schreien nicht, ihre Stimme hatte weiterhin das Volumen einer Person, die zu einem Kleinkind spricht oder jemandem den Weg zeigt, der in einer anderen Sprache nach dem Weg gefragt hat, anfangs in zusammenhängenden Sätzen, in denen jetzt zum Beispiel ständig das Wort Dachboden auftauchte, Dachboden und Susan, ich sei Dachbodensusan, freches Trotteltier mit Rottelkotze, und auch das Wort »nichts« strömte wie ein Fluß durch die Sätze, nichts als Pflanzen am Straßenrand, im Nichts der Laternenpfahlaugen, Nichtsnutz, das auch, im Nichts verschwinden, das Nichts deiner Augenlider und dein Narrenversationsnichts, dein Paniknichts, das schleuderte sie mir zu, sie war Wortmörderin, Wörter wie grüner Schaum, nur das Wort Schaum paßte zu ihrer Stimme, die Spucke mit Wörtern von hier nach dort rückte, und daraus durfte ich dann zum eigenen Gebrauch Wörter verstehen oder übernehmen, früher waren Wörter dabei, die ich überhaupt nicht verstand, Adäquationstrieb, Vernachlässigkeit, sagte sie dann, oder Evaluationsstumpfsinnigkeit, tottreten, tottreten, Prunk, Prunk, Prunk, war auch oft vorgekommen, oder Spachtelschwanz, Evaluationssprache, vernach, vernach, verstümmelte Wörter, in denen alle Silben zugleich Platz hatten, als seien es Rätselwörter aus einer Zeitungsrubrik, Rahmengraphologie, als bilde sie sich ein, Königin Beatrix zu sein, die zu jeder Tageszeit zum Volk sprechen durfte, Wörter mit o darin, Bloßtraum, Blophemie, Oterblophämeologie, Obsorge, Wörter mit ü darin, Bestürztheit, Erschütterung, ich erinnere sie nicht mehr genau, weil ich ihre Bedeutung noch nicht kannte, Überallgesäge, ich erinnere mich, daß Exkremente von Tieren, vor allem von Füchsen, eine hervorragende Rolle einnahmen, Fuchs- und Truthahnscheiße, von Kühen, Schweinen, Vögeln und Bakterien, so alt wie der Weg nach Rom, von Reptilien, so ausgestorben wie ein alter Socken, von Viren und Amöben, Vögeln, Katzen, Goldfischen, Fröschen, Bleichmäusen, Ratten, Rebhühnern, Walfischkot, Bleichschißurin, sie zählte sie mit den Farben auf, rot, gelb, braun und lila, lila Truthahnschiss, gelbe Fuchshöhlenkacke, Walfischententenhaufen, Goldfischschleim, auch jetzt wieder, aber nicht allzu laut, weil ihre Freundin es nicht hören durfte, es gehörte ganz und gar zu unserer Intimität, es gehörte nur uns, mit Curaçao oder Schultreffen hatte es kaum, eigentlich gar nichts zu tun, und nach den Tieren kamen die Pflanzen, hohe Sträucher, unter denen Zettel versteckt waren, ihr Mund sprudelte eine Enzyklopädie aller Sträucher der Stadt heraus, Liguster, Hahnenfußgewächse, Steinbrechgewächse, das Grün der Bäume war in ihrer Welt mit Schimmel bedeckt, der aus meinem Körper stammte, ich hatte ihn da verstreut, er wuchs auf allem, der Gestank verfaulter Geranien, verblühter Rosen, deformierter Petunien, Grasflächen bis zum Horizont bedeckt mit Mehltau, Schweineschimmel, Exkremente von Pflanzen breiteten sich auf der ganzen Erde aus, ich sei Exkrement, Exkrement von Tieren und Pflanzen, Lilienschiss, Rosenkot, Kackbegonien, Pflanzenschleim, darüber sollte ich mal nachdenken, noch besser seien die Pflanzen, schrie sie zischend, ob ich je den Schleim gesehen hätte, der an den Stielen herabglitt, ob ich schon den Schleim gesehen hätte, der an den Pflanzen hing, fragte sie schäumend, da sei noch mehr drin als im Gehirn meines kleinen Fingers, schrie sie, wenn sie hätte schreien können, und dann kamen die Steine, der Staub, das Papier auf der Straße, der Rost auf den Fahrradfelgen, die winzigen Fenster der Bürgerhäuser, auf denen ein Bleistift lag, Bleistiftdiarrhöe, Bleistiftrelevanzangst, Wassergläser, Brunnenfüller, Bücherbup, ein leseblinder Mistkerl, Leim, sei ich, leimblaß, Lampe, Radio, Pferd und Wagen, ein Gebrüll von Wörtern und Sätzen, die nicht zu ihr paßten, aber die sie seit dem Tag sagte, an dem sie aus Curaçao zurückgekommen war, meist, nachdem sie sich gewaschen hatte, sie standen in einem Buch, das, wenn ich zufällig in der Nähe war, manchmal in ihr aufgeschlagen wurde, sie sagte sie zu mir, als sei es egal, was gesagt werden mußte, ein völlig sinnloses Satzgewäsch überflutete meinen Körper, von Tier zu Pflanze zu Stein, diese Route legte sie zurück, ich hatte den Kopf geneigt, irgendwann hatte ich auch etwas gesagt, laut sogar, aber das konnte sie nicht verstehen, selbst wenn sie es gewollt hätte, es hatte keinen Sinn, ich war mit einer mechanischen Gestalt allein im Zimmer, die ein paar Wörter zu mir sagte, mehr war es nicht, farbige und weiße Wörter, nicht demütigend gemeint und über unbegreifliche Umwege irgendwie auch liebevoll, obwohl ich mit niemandem darüber sprechen konnte, weil meine Mutter sie gesagt hatte oder sagte, sie waren gleichgültig, sie zerstörten nicht ihre Liebe zu mir, die hatte sie schon längst zerstört, sie waren eine zertrampelte Form der Liebe, an der auch sie nichts ändern konnte, ich konnte es mir nur mit geneigtem Kopf anhören, wie ein Hörspiel mit einem bestimmten Ende, wobei ich ihr insgeheim doch immer öfter vorwarf, daß ich zu diesen Wörtern nicht imstande war; als ich noch klein war, kam sie manchmal und setzte sich an mein Bett, dann flüsterte sie diese Wörter vor sich hin, während ich mich schlafend stellte, in Wirklichkeit aber darauf gefaßt war, daß sie ihre Wörter eines Tages in Taten umsetzen würde, ich wollte sie nicht stören, weil sie ein so besorgtes Gesicht dabei machte, aber als ich älter wurde, kam sie nicht mehr an mein Bett, da saß sie am Tisch, während der Fernseher lief, und wartete, bis sie kamen, sich zerstreuten und über die Bilder an den Wänden wieder auftauchten, wie jemand, der wartet, bis er mit wachsendem Schaum um den Mund zu Boden fällt und dort mit allen Gliedern schäumt, schwelgt und zuckt. Jetzt wurde sie stiller, aber die Wörter und die Sätze kamen noch, noch immer so fehlerlos ausgesprochen wie am Anfang, kein Fehler in der Aussprache, jedes Wort wurde perfekt ausgesprochen, auch wenn es gar nicht existierte. Und ihre Stimme stockte nie, offensichtlich übte sie in meiner Abwesenheit stundenlang das fehlerlose Aufsagen der Sätze und Wörter, sie hatte das vierzigjährige Abendstudium zur Schreiakademikerin erfolgreich abgeschlossen, Doktorand cum laude in der Schreikunde, als Nebenfach Wortbeschmutzung. Sie wurde stiller, ihre Wörter glitten über die Zimmerwände und blieben an dem Bild hängen, auf dem sich die Wächter zuzwinkerten, jetzt wußten sie es wieder genau, es war nicht die schreiende Frau gewesen, die den Mann ihrer Freundin in ihrem Mund hatte kommen lassen, es war anders gelaufen, weißt du, es war ihre Freundin, die den Schwanz ihres Mannes ruckend und zuckend im Mund hin und her geschoben hat, die Hände um seine weißen Pobacken geklammert. Diese Frau hier, sie, die wir alle von diesem Bild aus anschauen, hatte dem Raum, der sich zwischen uns befand, nur ein paar Wörter zur Verfügung gestellt und war dabei aufzuwachen.

»Hast du den Hausschlüssel noch?« sagte sie. »Vergiß ihn heute abend nicht.«

Sie wartete im Zimmer auf ein Zeichen, auf Wörter, die noch ein wenig geblieben waren, die jetzt noch voller Tränen des Selbstmitleids in ihrem Mund weinten. Sie blickte auf mich herab. Ich legte meine Hand möglichst unauffällig über das Album, als wolle ich es schon jetzt vorm Umgeblättertwerden durch einen womöglich aufkommenden Wind schützen. Ich wollte mich von ihr verabschieden, viel Spaß beim Schultreffen, wollte ich ihr wünschen, ich gehe noch mit ein paar Freunden in die Stadt, aber was ich ihr auch sagte, konnte ihre Besorgnis erwecken, sie würde stehenbleiben und noch einmal von vorne anfangen, ich mußte jetzt ganz vorsichtig sein, ich könnte ihr sagen, man habe eine neue Art von AIDS entdeckt, die sich auch über Wörter verbreitet, jede Bevölkerungsgruppe sei nun bedroht, man brauche nur den Mund in der Nähe sprechender Menschen aufzutun, schon sei man angesteckt, nur Analsex mit ständig wechselnden Partnern biete noch einigermaßen Schutz, aber ihr könnte dabei meine merkwürdige Haltung über dem Fotoalbum auffallen. Du hast ja das alte Fotoalbum, würde sie lachend sagen, sind schöne Fotos drin, wir sprachen gerade darüber, als ihr unten beim Essen über Curaçao gesprochen habt, welch ein Zufall, woher hast du es, hatte ich es etwa hier im Haus liegenlassen?

»Komm nicht so spät«, sagte sie.

»Ich geh nur kurz in die Stadt«, sagte ich, »mit einem Jungen aus der Gegend, wo unser altes Haus war.«

Sie ging weiter ins Zimmer und setzte sich an dem niedrigen Tisch auf einen Stuhl.

»Was passiert eigentlich bei so einem Schultreffen?« fragte ich.

»Zuerst gibt es ein Begrüßungsprogramm«, sagte sie, »dann wird man zu seiner alten Klasse eingeteilt und trifft wieder seine alten Lehrer.«

Ein verträumter Ausdruck zeigte sich auf ihrem Gesicht, ein winziges Lächeln, das genau zu Schultreffen paßte, auch auf dem Bild an der Wand hinter ihr gewann dieses Lächeln die Oberhand, es war ein Erinnerungslachen an die schönste Zeit des Lebens, als wir alle noch jung waren, den Gestalten auf dem Bild fiel ein, daß sie ihre Namen gar nicht wußten, dazu waren sie nicht gekommen, aber jetzt beeilten sie sich, sich vorzustellen, ich heiße Matthieu, sagte der Mann im Bett, ich erinnere mich noch gut an euch, wißt ihr noch, wie wir bei einem Schulausflug aus dem Fenster geschaut haben, ich heiße Ferdinand, sagte einer der Wächter, nur der blasse junge Mann auf dem Stuhl wagte nicht, sich einzumischen, weil er gar keinen Namen bekommen hatte.

»Und dann trefft ihr euch wieder«, sagte ich, »muß man dann auch in kleineren Räumen miteinander reden, wie ist das denn? Vielleicht wißt ihr nicht mehr, wie die anderen heißen.«

»Das glaube ich nicht«, sagte sie, »wir können einfach alle beisammen bleiben.«

Sie machte wegwerfende Handbewegungen, für sie war es nicht wichtig, unter welchen Umständen man zusammengebracht wurde, ihr ging es nicht um den Raum und den Abstand zwischen Menschen, sie wäre ganz cool geblieben, wenn man sie in einem verdunkelten Bus zum Bahnhof bringen würde, wo sie mit den anderen pro Klasse in gekühlte Fleischtransporter geladen und zu fremden Häfen gefahren wurde.

»Ich war heute früh schon bei meiner alten Schule«, sagte sie, »da ist jetzt eine Lebensversicherung drin, wir durften kurz reingehen.«

Wieder zeigte sie ihr Lachen, das Lachen von jemandem, der sich ein lustiges Fernsehprogramm anschaut. Ich wollte hinuntergehen und ihre Freundin warnen, eine alle Glieder lähmende Schultreffenangst befiel mich, ich könnte sagen, im Theater sei eine biologische Bombe abgegeben worden, das ganze Gebäude müsse geräumt werden, japanische Terroristen würden in ganz D. Giftgas verbreiten und anschließend die weibliche Bevölkerung vergewaltigen, die Stadt habe Briefe verschickt, alle Schultreffen seien bis auf weiteres verboten.

»Sicher ganz nett«, sagte ich, »man sieht sich schon von weitem an der Garderobe, aber traut sich nicht zuzugeben, daß man die Namen nicht mehr genau weiß, genau wie im Museum, da sieht man die Bilder, die man aus Kunstbüchern kennt, auch schon eine Weile vorher an den Wänden hängen, bevor man wirklich davor steht.«

»Genau so ist es«, sagte meine Mutter, »man erinnert sich so in etwa an sie, aber man ist sich nicht sicher, der eine ist kahl oder dick geworden, aber niemand verändert sich wirklich.«

Vom Bild her ertönte nun unterdrücktes Lachen.

»Vielleicht ist der Exmann von Susan auch da«, sagte ich.

Meine Mutter sah mich an.

»Du spinnst wohl«, sagte sie.

»Und dann gibt es eine Art Programm mit Sketchen über die Lehrer und die Schule, und anschließend ist Tanz.«

»Wem gehören die Bücher auf dem Dachboden eigentlich«, sagte ich, »sie sind ganz verstaubt, keiner liest sie mehr, es sieht so aus, als hätte Susan oder jemand anders extra viel Staub darauf gekippt. Ob ihr Mann das war, damit sie sie nicht mehr verkaufen kann, an den Fingerabdrücken könnte er gleich sehen, wer sie gekauft hat, ich glaube, er will sie irgendwann mal abholen.«

»Sie haben beide viel gelesen«, sagte meine Mutter, als sei das eine Erklärung auf all meine Fragen, »aber er hat sich nicht getraut, seine Bücher abzuholen, er ist nie mehr zurückgekommen, sie hatten furchtbaren Streit.«

Ich wollte ihr von der schwarzen Kiste auf dem Dachboden erzählen, schwieg jedoch. Ihre Stimme hatte wieder ihr normales monotones Dröhnen. Ein Ozean von Fragen hing zwischen uns, Curaçao-artige Fragen, die Leute kurz vor dem Einschlafen überfallen, wenn sie im Bett leise vor sich hinmurmeln, ganz leise, so daß sie es selbst gerade noch hören können, ohne die anderen im Haus zu wecken. Ich war mir sicher, daß ihr Schreien auf Curaçao angefangen hatte, als sie aus dem Krankenhaus oder der Anstalt entlassen wurde und ihre Freundin schon fort war, sie hatte das Bild mit den spielenden Bärchen auf dem Fußboden zerschlagen.

Ihr ganzer Körper signalisierte mir, keine weiteren Fragen mehr zu stellen, sie faltete die Hände im Schoß, hielt den Kopf schräg wie ein Vögelchen, das kurz vor dem Trinken sein Spiegelbild im Wasser betrachtet.

»Er hat sie verlassen«, sagte ich feierlich.

Auch um ihr eine Freude zu machen, meine Mutter würde mich jedenfalls nie verlassen, wie oft ich das auch hoffte oder solche Wörter vor mich hin sagen würde, das wäre schlecht für ihre Gesundheit, die sie sowieso schon strapazierte, sie verließ mich nicht auf ärztliche Verordnung, das war der Punkt, darum stand sie völlig unerwartet vor mir und führte mit mir soviel curaçao-lose Gespräche wie möglich. Ich durfte überhaupt nicht daran erinnert werden, das hatte ihr der Arzt ausdrücklich ans Herz gelegt, davon darf nie die Rede sein, hatte er gesagt, sonst würde sie sich in einen Stein oder eine Pflanze verwandeln. Jetzt war der richtige Moment, ihr das Fotoalbum zu zeigen, aber es gelang mir nicht, meine Hand wegzuziehen.

»Ich finde, sie wird in letzter Zeit etwas schwerhörig«, sagte ich.

Auf dem Bild erklang schallendes Gelächter.

»Sie hat eine schwere Zeit hinter sich«, sagte sie, »wegen der erstbesten Sekretärin einfach so verlassen zu werden.«

Mir schien es nicht viel Unterschied zu machen, von oder wegen wem man verlassen wurde, Hauptsache, es geschah, zu Lande, zu Wasser oder zur Luft, das machte alles nichts aus.

»Vielleicht war doch alles ihre Schuld«, sagte ich, »er hatte genug von ihr, dieses ewige Gepudere vor dem Spiegel.«

»Was liest du gerade«, sagte sie.

»Ein Buch über Jamaica«, sagte ich, »Susan hat es, glaube ich, auf einer Auktion gekauft. Willst du es auch mal sehen, es sind auch Fotos drin.«

Sie machte keine Anstalten, es zu betrachten, von ihrem Stuhl aus konnte sie es kaum sehen. Sie stand auf, ging zur offenen Tür und drehte sich zu mir um: knisternde Sinnesorgane in ihrem Gesicht, das auf mich herabsah, unendlich besorgt, fast schon wieder lächelnd.

»Wir zumindest bleiben beisammen«, sagte sie, »kommst du noch runter, bevor wir gehen?«

Sie verschwand im Flur. Ich stand auf und ging ans Fenster. Ich holte das Stück Holz mit den eingekerbten Tierköpfen aus meiner Hosentasche, das mir der Junge in unserem alten Haus gegeben hatte, und hielt es in der linken Hand, ich sah es nicht an, ließ nur die Finger blitzschnell darübergleiten, wie ein Blinder, der mit Fingern ein Gesicht abtastet, weil er es sich nicht mehr ins Gedächtnis rufen kann. Draußen lagen bis weit vor die Stadt unendlich viele aneinandergekettete Grundstücke mit kleinen Häusern, Reste eines Kriegsgefangenenlagers, die meisten aus grünem Holz oder aus Glas. In diesen Gärten war es fast völlig dunkel, nur auf der rechten Seite schien aus einem Fenster von unserem Nachbarhaus ein gelbliches Licht. Links war die Stadt, ich roch den Geruch der Hefefabrik, der wie Schimmel über der Stadt hing, ein Geruch todkranker nasser Zeitungen, die monatelang aufeinandergestapelt herumgelegen hatten. Die Dächer der kleinen Häuser in den Gärten waren Hütchen von Kindern, die am Strand spielten und langsam im Sand wegrutschten, es war ihr Gewicht, sie rutschten langsam weg. Der Garten hinterm Haus war eine vergilbende Grasfläche, die das heranrückende Unkraut aus der Umgebung zurückhielt, graue, klumpige Pflanzen ragten über die Ränder dieses Rasens hinaus, hinten war ein kleiner Schuppen, in dem die Freundin meiner Mutter Körperöle aufbewahrte, manchmal machte sie nachts Licht und rieb sich mit den Gesten einer ruhigen Tänzerin mit durchscheinendem hellgrünen Öl ein. In der Ferne endeten die Gärten in hohen, am Himmel festgeklebten Bäumen.

Ich hatte ihr von dem Jungen erzählen wollen, daß er gesagt hatte, er sei auch auf Curaçao gewesen, zur selben

Zeit, als wir da waren, daß wir uns dort vielleicht zum erstenmal gesehen haben, auch wenn ich ihm kein Wort glaubte. Ich hatte ihr von den Fotos in dem Album erzählen wollen, daß sie auch drauf war, daß meine Mutter es versteckt habe und sie es gewesen sei, meine Mutter selbst, die in dem Album alles durchgestrichen hatte. Vor vielen Jahren, in unserem alten Haus, ich sei dabeigewesen, hier, habe sie geschrien, hier, während sie durchstrich und zerkratzte, verdammt noch mal, das auch, und da, und das auch, weg, weg, die Durchstreichungen und die Tintenkleckse, sie hatte sie hineingekratzt und drauffallen lassen und ich hatte danebengesessen wie einer, der bei einem Bastelabend einem anderen Kind zusieht. Aber jetzt habe ich es wieder, hatte ich sagen wollen, genau darum geht es, sag ja nichts meiner Mutter, es ist egal, wer dort herumgeschmiert hat, wollte ich sagen, und in der Stille, die dann dem kommenden Geräusch vorangegangen war, hätten wir unsere Köpfe ganz eng zusammengesteckt, wie Löwen an einer Wasserstelle.

Und in der Stille des Abends bewegten sich die Gärten langsam vom Boden in die Luft, und eine ehrfurchtgebietende Erwartung erfaßte zum zweitenmal heute abend meinen Körper, wie Staub, kurz bevor ihn ein Windstoß aufwirbelt. Ich öffnete den Mund und brachte krächzende Laute hervor, ich imitierte die Stimme des Jungen auf dem Balkon, ich fing an, das Lied von einem Mann auf einem Pferd zu singen, der in einen Wald reitet, von Schemen und Stimmen umringt, ich kratzte es in die Luft des Zimmers, nur ein Blubbern war zu hören, nicht ich war es, der sang, es war ein anderer, es war eine Stimme, die Wörter übte, die Häuser im Garten sprangen auf, ich schaute durch sie durch und sah, was immer sichtbar gewesen war: Hinter den krumm und schief geschlagenen Brettern lagen die versteckten Rhododendronknollen, Zyklamenzwiebeln, Grassamen, Hyazinthen, Bleichsprossen, Steinmuscheln, Quastblumen, Stiefmütterchensamen, die Leute dort irgendwann zusammengetragen hatten.

4

Von unten hörte man schon eine ganze Weile traurigen Gesang, der ab und zu von fröhlichem Lachen unterbrochen wurde. Ich nahm das Fotoalbum und das Pornoheft und ging nach unten. Das Singen kam aus dem Wohnzimmer. In der Küche nahm ich eine Plastiktüte aus einem Karton unter dem Gewürzständer und steckte die Bücher hinein. Ich stellte die Tüte unter den Küchentisch.

Im Vorderzimmer brannte hinter einem der Lehnstühle eine Stehlampe. Meine Mutter und ihre Freundin saßen in einem großen Lehnstuhl, meine Mutter auf einer der breiten Lehnen, ihre Freundin hatte ein Buch auf dem Schoß. Meine Mutter hatte den linken Arm leicht um die Schultern ihrer Freundin gelegt. Sie blickten auf, als ich am Pflanzenspalier vorbei ins Zimmer kam und beugten sich mit singenden Stimmen gleich wieder über das Buch. Sie hatten sich schon für den Abend umgezogen, meine Mutter trug ein langes schwarzes Kleid mit silbernen Blumen, sie hatte sich die Haare aufgesteckt und hielt sie mit einer silbernen Spange zusammen, wodurch sie wie Napoleons Gattin aussah, ihre Freundin trug ein schwarzes schulterfreies Kleid und ließ die Haare offen hängen, ihre nackten Arme und Schultern schmolzen im Lampenlicht. Sie hatte sich eine rote Blume ins Haar gesteckt.

Sie sangen ein Lied, dessen Melodie ich gut kannte, wir hatten es früher zu Hause am Klavier gesungen, wenn Onkel und Tanten da waren, meine Mutter sah dabei meist unzufrieden aus, aber ich habe als kleiner Junge immer lauthals mitgesungen. Das Lied besaß eine wundersame, altmodisch anmutende, wogende Melodie, als seien die Noten nach Regeln aneinandergereiht, die jeder zwar mehr oder weniger kannte, die jedoch erst richtig zum Ausdruck kamen, wenn man sie gesungen hörte. Sie waren nie aufgeschrieben worden, niemand kannte sie aus Büchern, jemand hatte sie eines Tages einfach auf der Straße gesungen und dann dachte man sich Texte dazu aus, die eigentlich unwichtig waren, es waren scheinbar harmlose Texte, von singenden Vögeln, Spaziergängen am Meer, Karren, die über einen Sandweg zockelten, von Leuten, die ein Musikinstrument verloren haben oder an Giraffenhälsen hinunterrutschten, es waren unentrinnbare Wörter, die in Mauern und Straßenpflastern sofort aufgesaugt wurden.

Die Freundin meiner Mutter sang herrlich, aber auch ein wenig gekünstelt, ihre Stimme kommentierte gleichzeitig diese Affektiertheit, sie warf sich vor, so geziert zu singen, um sich vor der auf sie einstürmenden Sentimentalität der Lieder und ihrer eigenen zu schützen. Sie schämte sich ein bißchen dafür, wollte aber doch viel von ihren Leidenschaften und der Verzweiflung über ihr Verlassensein zum Ausdruck bringen. Sie war unbeholfen wie ein Kind, das aus einem offenen Fenster Gerüche einatmet, die es an seine erste bewußte Nacktheit erinnern. Es sind bloß Lieder von früher, schien sie sagen zu wollen, ich habe sie auch damals auf Curaçao gesungen, ich sehe, daß du dich dafür schämst, aber wenn sie dir nicht gefallen, dann sag es, dann gefallen sie mir auch nicht, es ist völlig unverbindlich, von mir aus hättest du dir das Heft ruhig noch länger ansehen können, ich fand die Fotoserie mit den Clowns am schönsten, als mein

Mann mich noch nicht verlassen hatte, haben wir sie oft vor dem Spiegel nachgemacht, ich in einem schwarzen Unterrock, er mußte aufpassen, daß sein Schwanz nicht herausrutschte. Sie sang schauderschaft schön, ich lauschte atemlos, ich wollte die Töne nicht angreifen, ihre Stimme schien zwar Distanz zu den Liedern zu wahren, aber ihr wiegender Körper gab sich ihnen voll und ganz hin. Und wenn er kommt und die Bücher holt, schien sie mit ihrem Körper auszudrücken, dann sage ich ihm, er kann sie sich alle in den Hintern stecken. Auch meine Mutter wiegte den Oberkörper hin und her, während ihre Freundin sie durch die Melodien führte.

Als das Lied zu Ende war, lachten sie schallend, sie sahen sich an, fielen sich in die Arme und streichelten sich, untrennbare Freundinnen, und danach sangen sie ein Lied über ein Kind, das an die Zeit zurückdenkt, die er oder sie früher in einem Häuschen am Meer verbracht hatte. Sie legten besonders ernsten Nachdruck auf genau die Wörter, die oft wiederholt wurden und schauten mich dabei nachdenklich und feierlich an, um zu kontrollieren, ob ich es auch schön fände. Offensichtlich wollten sie bewirken, daß auch ich mich nach einem Häuschen am Meer zurücksehnte, die entsprechenden Wörter wurden ständig wiederholt, getragen und gurgelnd – an der Existenz dieses Häuschens konnte niemand mehr zweifeln – sie tropften an den Wänden herunter, glitten in die Wurzeln der Pflanzen und ließen sich in den Gegenständen auf dem Schrank nieder, der Keksbüchse, dem Becher mit dem Schraubenzieher, dem Fernseher, dem Wörterbuch und dem Zeitungsstapel. Dieses Lied erinnerte sie an allerlei Sehnsüchte, die sich nicht erfüllt hatten, manchmal lachten sie beide darüber, Ferien am Meer, als es mich noch gar nicht gab, sie waren Schulmädchen, eine Erklärung für Dritte war nicht nötig, jeder begriff es auch so. Ich sang den Refrain mit, ich sagte die Wörter leise vor mich hin, bis eine gewisse Verlangsamung und Dehnung der Noten das Ende des Liedes ankündigte und ich erkannte, daß seine Bedeutung in keinem Verhältnis zu dem Engagement stand, mit dem es gesungen wurde. Ich hätte gern alle Ferien in diesem Häuschen verbringen wollen, schon deshalb, weil die Freundin meiner Mutter das Lied so schön fand, aber was man dort genau hatte sehen können, brannte wie ein Loch vor mir, ich versuchte, mich am Tisch festzuhalten, stand aber etwas zu weit weg, ich ging zu dem anderen Sessel im Zimmer und lehnte mich dort an.

Das Lied hatte nichts mit Curaçao zu tun, die Freundin meiner Mutter hatte es dort in meinem Beisein vielleicht einmal gesungen, ohne sich etwas dabei zu denken, sicher nicht, wie jetzt, zusammen mit meiner Mutter, und ich wagte nicht zu fragen, wo sie damals gestanden oder gesessen hatte. Es handelte nur von Häuschen, dennoch wollte sie mir damit eine wichtige Nachricht übermitteln, wie es der Junge auf dem Balkon mit seinem Lied versucht hatte. Ab und zu streiften ihre Augen mein Gesicht. Natürlich war es ihr eigenes Lied gewesen, ihr eigenes Erinnerungslied, das sie jetzt mit meiner Mutter sang, aber sie sorgte nachdrücklich dafür, daß ich den Blick von ihr abwandte. Sie verknüpfte auch allerlei unbestimmte Gedanken damit, die Frauen zuweilen haben, rätselhafte Träume, unsichtbar wie die Route der Vögel, Trostbilder, wo nichts zu trösten scheint, weil es töricht ist, darüber in der Öffentlichkeit zu sprechen, als Frau konnte man nur auf plötzliche Momente unerwarteten Glücks hoffen, wie in diesem Augenblick, oder in Kaufhäusern in der Abteilung Seife und Schokolade, Momente, die man nicht erzwingen kann, und schon gar nicht, wenn man nur ein paar Wochen auf Curaçao gewesen war, das Häuschen diente als Symbol, nicht für Häuschen, sondern für etwas anderes, es war Ersatz für Erinnerungen, Verlassensein bei der einen, Entbehrung bei der anderen. Woran sie beim Singen dieses Liedes wirklich dachte, blieb geheim, vielleicht nur an schöne Pflanzen und Steine von früher.

»Wir haben es früher auch gesungen, in der Gegend von Amsterdam«, sagte meine Mutter zu ihrer Freundin hin, »weißt du noch, alle saßen um den Tisch, und dann wurde losgebrüllt.«

»Bestimmt nicht so schön, wie ihr es gesungen habt«, sagte ich, »es war sehr schön.«

»Diese Lieder sind herrlich«, sagte die Freundin meiner Mutter, »wollt ihr schnell noch etwas anderes hören?«

Es war halb acht. Sie stand auf und ging zur Stereoanlage im Bücherschrank. Das war ihr Moment. Zweifellos würde sie nun wie gestern abend Musik eines Komponisten auflegen, den sie irgendwann einmal getroffen hatte, er war sogar mal hier im Haus gewesen, sein Name fällt mir jetzt nicht ein, aber sein Gesicht tauchte in den letzten Jahren oft in Kulturbeilagen auf, die meine Mutter zu Hause las. Es war ihm sogar gelungen, jeden zum Schreiben bewundernder Artikel zu verpflichten, ohne ein Honorar dafür zu zahlen, während er vergeblich versuchte, in seinen Gesichtsausdruck ein Gefühl des Abscheus gegenüber Presseprodukten zu legen. Es geht um das Werk, versuchte er zu sagen, konnte aber nicht verhindern, daß alle bei seinem Gesicht nur an Kulturbeilagen dachten. Er machte Musik, mit der sie uns in jedem Augenblick des Tages belästigen wollte, sie liebte sie unbekümmert. Es war eine sich endlos wiederholende Musik, mit einer ganz anderen, viel bösartigeren und unendlich durchdachten Art

Rhythmik als die, welche ich zu Hause hörte. Diese Rhythmen stolperten abgerissen und abgehackt daher, als schämte sich der Komponist für ganz normale Rhythmen. Es waren oft Wörter dabei, von einem unverständlichen Chor gesungen, schrill und geschwollen, unvorstellbar dumm, auch wenn sie gar nicht zu verstehen waren, sie *mußten* einfach dumm sein. Das Lied, das der Junge auf dem Balkon gesungen hatte, war keineswegs mit dieser Musik vergleichbar, war wie ein Vogel, zitternd vor Verlangen und Verzweiflung, träumerisch und abschreckend zugleich, bei diesem Komponisten dagegen dominierte eine stillose Scham über die Musik, freche Scham, er gab, um die Dummheit noch zu unterstreichen, seinen Kompositionen Titel aus in seinen Augen wichtigen Wörtern, die sofort in Schreiwörter übergingen, wenn man sie vor sich hinflüsterte: Die Zeit, Das Wort, Die Materie, Der Staat, Der Krieg, Die Weisheit und Der Friede. Wörter, die das kalte Geräusch zu überschreien suchten, Zuhören war bei dieser Musik völlig überflüssig, Berichterstattung in den Zeitungen genügte, wenn ich sie zufällig hörte, und das war zum Glück nur hier geschehen, übermannte mich ein Gefühl aufgeblähter Lustlosigkeit und Passivität, das nirgendwo einen Ausweg finden konnte. Es war aufgeblasene, getrübte Musik, weil nie Stille möglich war, darüber klagten die ausführenden Musiker oft, und es würde mich nicht wundern, wenn ihre sexuellen Leistungen nach der Aufführung dieses Werkes zurückgehen würden, was vielleicht auch wieder eine Empfehlung war. Es hatte keinen Sinn, auch nur die geringste Kritik zu üben, alle Rezensenten dieses Werkes fanden es immer gekonnt, schön und eindringlich oder alles zusammen.

»Müßt ihr nicht gehen«, schrie ich, »wenn Schultreffen sind, ist es immer sehr voll, in der Stadt ist überall Stau.«

Aber es hatte keinen Sinn. Die Freundin meiner Mutter kauerte vor der Stereoanlage im Schrank. Auf dem Gesicht meiner Mutter zeigte sich gleich bei den ersten Klängen, Blechgeschmetter, eine verfeinerte Form der Beruhigung, eine Aufmerksamkeit, die sich nach zwei Seiten richtete, zuerst auf mich, ob ich nicht lauthals Verwünschungen herausschrie, kann die Scheißmusik nicht aus, verdammt noch mal, oder mit großem Tamtam plötzlich umfallen und im Fallen Vasen, Tischtücher, Pflanzenkübel, Bücherschränke und Stehlampen mitrisse, was bei der Musik übrigens gar nicht auffiele, aber auch auf ihre Freundin, aus Solidarität mit ihr, es ist und bleibt schön, universal ist es auch, für die Menschheit bestimmt, gegen den Kolonialismus, obwohl sie zu Hause am liebsten Corry Brokken hörte. Ich spürte Atem aus meinem Mund ins Zimmer strömen.

»Nur noch ein kleines Stück«, sagte ihre Freundin, »das ist schön, es ist schon älter, aber immer noch sehr schön, damals machte er minimalistische Musik, es wird von zwei verschiedenen Orchestern gespielt, die abwechselnd eine Note spielen, es ist sehr gekonnt, das müßt ihr hören.«

Was jetzt erklang, hatte mit der aufgelegten Platte wahrscheinlich nichts zu tun, es schien ohne ihr Wissen aus dem Bücherschrank zu kriechen, als schlügen Menschen in Todesangst gegen Eisenstangen, es kam aus der Kletterpflanze, die sich erschreckt an den Brettern des Schranks festklammerte, wer die Ohren spitzte, hörte Kindergeschrei, MG-Geratter und Hundegebell.

»Hörst du die Flöten«, sagte sie.

»Wie heißt der Komponist gleich wieder?« rief ich, »du hast es gestern gesagt, ich kann mir seinen Namen einfach nicht merken.«

Sie nannte seinen Namen.

Meine Mutter stand vom Sessel auf, ging zu einem Schalter an der Wand und schaltete Licht an, auf dieses Zeichen hin stellte ihre Freundin die Musik ab.

»Wir müssen gleich gehen«, sagte meine Mutter, »ich muß noch schnell nach oben.«

Sie verließ das Zimmer. Ich ging zum Bücherschrank und streifte mit der Hand die Einbände, aus den vergilbten Seiten klang verzweifeltes Rufen, Geschrei von Sterbenden, Männer und Frauen rannten nackt in einen Wald, wo sie erschossen wurden, aus den Schutzumschlägen drängten sich Bilder verlassener Gegenden auf, wo marodierende Armeen umherzogen, komm her, komm her zu uns, es war stickig wie in einem Gewächshaus, wo Pflanzen ihre Tentakel zu den rettenden Lampen ausstrecken, hinter mir Geräusche, das Rascheln von Seidenkleidern an Strumpfhosen, Sand auf Papier, jemand versuchte, mich in den Bücherschrank zu drücken. Ich öffnete die Augen und drehte mich um, die Freundin meiner Mutter stand fast hinter mir, offensichtlich war die Musik schon geraume Zeit vorbei, ohne daß es mir aufgefallen wäre. Sie schaute mich aufmerksam an, wie jemand auf dem Markt ein Stück Stoff anschaut, musternd, farblos, objektiv, aber auch drängelnd, sie zog einen ausgestreckten Arm zurück, als wolle sie mich berühren, habe es sich aber plötzlich anders überlegt.

»Warum hast du vorhin von Curaçao angefangen?« sagte sie, »wie bist du eigentlich darauf gekommen?«

»Ich weiß es nicht mehr«, sagte ich, »meine Mutter und ich haben heute mittag darüber gesprochen, daß du vor langer Zeit auch dort gewesen bist, das wußte ich gar nicht mehr, ich überlegte es mir plötzlich, aber jetzt weiß ich es wieder.«

Sie schaute mich an, als sei ich ein anderer, dessen Stimme in ihrer Erinnerung aufgetaucht war, ein Junge von damals, als sie selbst noch ein Mädchen war, sie hörte ihn sprechen, während ich noch beim Bücherschrank stand. Sie war etwas kleiner als ich. Sie öffnete den Mund um etwas zu sagen und schloß ihn wieder. Wir sahen uns an.

»Auf dem Dachboden habe ich einiges aus Curaçao, nicht nur diesen Hut und die Koralle«, sagte sie.

Sie zeigte auf den Kaminsims, auf dem der Sommerhut und die Koralle nebeneinander lagen. Sie sah mich etwas traurig an, die Blume in ihrem Haar neigte sich erwartungsvoll zu mir.

»Deine Mutter hatte früher ein Fotoalbum, da waren auch Fotos von dir dabei«, sagte sie, »habt ihr das nicht mehr?«

»Ich habe es nie gesehen«, sagte ich, »früher auch nicht, meine Mutter hat es bestimmt weggeworfen, wir reden nicht oft über Curaçao.«

»Ich habe auf Curaçao bei euch gewohnt«, sagte sie, »erinnerst du dich nicht mehr daran?«

Sie betrachtete mich sonderbar ruhig.

»Wir sind zu einer Windmühle gegangen«, sagte ich, »daran erinnere ich mich noch.«

»Weißt du nicht mehr, was damals passiert ist?« sagte sie.

Ich stand ganz still neben ihr, ihr Gesicht schien klamm, aber nicht feucht, ihre braungrünen Augen leuchteten auf.

»Ich weiß es noch«, sagte ich, »ich war heute in unserem alten Haus.«

Sie leckte sich mit der Zunge über die geschminkten Lippen.

»Da war ein Junge, er erzählte, er sei auch auf Curaçao gewesen, man könnte meinen, daß fast jeder auf Curaçao gewesen ist.«

»Ihr habt dort Schlimmes durchgemacht«, sagte sie.

Sie stand dicht neben mir.

»Das weiß ich nicht mehr«, sagte ich, »ich erinnere mich an beinahe nichts mehr aus der Zeit, meine Mutter wurde krank, das weiß ich noch.«

»Sonst weißt du nichts«, sagte sie.

Es war keine Frage, sondern eine Feststellung.

»Doch, daß du bei uns gewohnt hast«, sagte ich.

Nach einem Blick, den man unmöglich beschreiben konnte, er war verwirrt, nachdenklich, aber auch aufmerksam, als habe sie Angst, zusammengeschlagen zu werden, wenn das Ergebnis nicht den Erwartungen entspräche, streckte sie beide Arme aus und zog mich behutsam an sich, als sei ich ein Kartenhaus, das jeden Augenblick einstürzen kann. Mein Kopf zögerte zwischen einem Neigen zu ihren halb entblößten Brüsten und einer Bewegung über ihre Schulter. Als ich den Kopf leicht nach hinten neigte und in ihr Gesicht schaute, sah ich, daß sie weinte, Tränen glitzerten neben ihrem zitternden Mund, auf den Risse gezeichnet waren, sie glitten hinab, zogen tiefe Spuren durch ihr bepudertes Gesicht und ihren Hals. Sie sagte Wörter zu mir, die ich nicht hören konnte, ich schauderte, sie drückte mich an sich, und ich berührte mit meinem Mund ihren Hals.

»Deine Mutter wurde dort vorübergehend krank, dort ist etwas Schlimmes passiert«, sagte sie stammelnd, »weißt du das noch, darum bin ich gekommen, sicher habt ihr euch auf der Bahnfahrt hierher darüber unterhalten, und deshalb hast du von Curaçao angefangen, du wußtest es plötzlich wieder, ihr seid mit dem Flugzeug nach Holland zurückgekommen, es hatte stundenlang Verspätung.«

Sie hielt mich an sich gedrückt und ich spürte, wie ihre Hände meinen Rücken streichelten. Im Zimmer war es warm, aus einem Fenster hinter den Vorhängen wehte lauer Wind, ich konnte nicht hinausschauen, meine Lippen glitten über den Flaum ihres Halses. Da war noch etwas, was sie hatte sagen wollen, was ich ihr sagen wollte, weiße Vorhänge, die sich im Wind bauschten, draußen Gezirpe von Insekten, auf einem Korbstuhl lag ein unvorstellbar unordentliches blaues Kleid. Ich wollte etwas sagen.

»Es war schwer für deine Mutter«, sagte sie, »sie konnte nichts dafür, es war einfach geschehen, ohne daß sie wußte, daß es geschehen war, in einer Anwandlung von geistiger Umnachtung, ich habe damals ein paar Wochen für dich gesorgt, weißt du das gar nicht mehr?«

Ich wußte nicht genau, was sie meinte.

»Doch so in etwa«, sagte ich, »alle waren fassungslos, wir gingen …«

Sie zog mich wieder an sich, so daß ich meinen Satz nicht beenden konnte.

»Wir gingen ins Krankenhaus«, sagte ich, »lange weiße Gänge mit braunen Türen.«

Das sagte ich, damit sie mich nicht losläßt, in einem Ton, als sei es mir erst jetzt, durch diese Umarmung, eingefallen, ich erinnerte mich keineswegs an weiße Gänge, wohl an ein Krankenhaus oder eine Anstalt. Männer und Frauen waren händchenhaltend durch braune Gänge geirrt, die Gesichter zu bösartigen Masken verzerrt, manche standen zitternd an den Wänden, ich war an ihnen vorbeigelaufen, jemand hatte eine Verwünschung durch die Gänge geschrien. Mich würde man nie einsperren, dachte ich, mich ließen sie ruhig weiterlaufen, nicht einmal dann, wenn ich den Jungen vom Balkon umbringen oder meine Mutter oder die Frau in meinen Armen unablässig vergewaltigen würde. Es war nur eine vorübergehende Umnachtung, würde man sagen, lohnt sich nicht, den nächsten Fall bitte.

Sie war in meinen Armen unbeweglich wie eine gläserne Puppe, die man irgendwo hingestellt hat. Sie schob mich vorsichtig weg, nicht erschreckt oder ängstlich. Ich wunderte mich nicht im geringsten über diese Umarmung, unterschiedliche, völlig vorhersehbare Ereignisse und Erinnerungen waren ihr vorausgegangen, beginnend mit meiner lebhaften Armbewegung draußen, nein, noch früher, als ich in D. angekommen war und ihr die Hand gegeben hatte, als ich das Heft mit den Clowns in der Kiste auf dem Dachboden gefunden hatte, das sie extra für mich hineingelegt hatte, danach hatte sie für mich mit herrlicher Stimme gesungen, die Umarmungen völlig annehmbar machte. Sie hatte mich auf Curaçao auch schon umarmt, an sich gedrückt, wurde mir bewußt, genauso selbstverständlich wie jetzt, es wäre viel merkwürdiger gewesen, wenn es nicht in einer Weise passiert wäre, die ich nicht mehr hatte vergessen können, die sie heute als eine verworrene Erinnerung erkannte, ich war damals noch ein Kind, das sie an sich gedrückt und für das sie, selbst kaum eine erwachsene Frau, Lieder gesungen hatte. An Puder auf ihrem Körper erinnerte ich mich nicht, wohl daran, daß ich sie ansah, während sie vor dem Spiegel saß, sie war damals wie ein Traum gewesen, der Tage hintereinander zu mir gekommen war, zu dem ich gegangen bin, der für mich jahrelang, auch nachdem meine Mutter zurückgekommen war und das Schreien angefangen hatte, sehr wichtig war, dessen Wichtigkeit sich aber immer weiter von mir entfernte, bis ich nicht einmal mehr wußte, wovon ich geträumt hatte.

»Ich weiß doch noch was davon«, sagte ich.

Sie schüttelte den Kopf, als sei Schnee darauf gefallen, hielt mich mit gestreckten Armen auf Distanz und musterte mich, als wisse sie genau, daß ich etwas ganz anderes sagen wollte, etwas, was ich ihr nie hatte sagen können, auf ihren Händen verzweigten sich die Adern zu einer schwindelerregenden Flußlandschaft, ihr Gesicht war rot, als sei sie am Strand in der grellen Sonne eingeschlafen. Danach ließ sie mich los.

Ich müßte ihr jetzt von dem Fotoalbum erzählen, jetzt, von dem Jungen, den ich getroffen hatte, von unserem alten Haus, in dem ich gewesen war, aber ich wußte nicht, womit ich anfangen sollte. Jetzt unbedingt. Ich müßte es holen und ihr zeigen. Meine Mutter ist fast auf keinem Foto, würde ich sagen, was nicht einmal gelogen war, ich würde meiner Stimme verschiedene Nuancen geben, schalkhafte Tonänderungen mit entsprechenden Handbewegungen, ich würde das Album auf den Schoß nehmen, sie säße neben mir und würde mir die Fotos zeigen, wie mir das Mädchen heute nachmittag die Fotos gezeigt hatte, und wir würden ganz nah nebeneinander sitzen, bereit, bei der geringsten Gefahr sofort zu fliehen, das bin ich, würde ich sagen, weißt du noch, weißt du noch, sie würde mir die Tränen abwischen, dort, bei dem schwarzen Auto stehst du, weißt du noch, daß ich, ich weiß es noch, den Rest habe ich vergessen, das würde ich sagen, ich öffnete den Mund und in dem Moment kam meine Mutter wieder ins Zimmer.

Sie hatte ein anderes Kleid an als vorher, ein dunkelgelbes festliches Kleid mit leuchtendem Blumenmuster, beide Frauen nahmen die Haltung ertappter, aber anmutiger Mädchenhaftigkeit an, die sich in Kichern und hastigem Streichen über die Kleider äußerte, sie posieren nebeneinander, nicht wegen der Pose oder des Moments, sondern um sich gegenseitig ihre Anwesenheit zu bestätigen, sie zupften überall an sich herum, steckten eingebildete Ungerechtigkeiten weg. Wenn niemand im Zimmer gewesen wäre, hätten sie lustlos vor sich hin gefaulenzt und auf das Sonnenlicht gewartet, das jetzt nur noch hoch am Himmel zu sehen war, dicht bei der höchsten Kirchturmspitze der Stadt.

Das Schultreffen

1

Ich ging wieder in die Stadt, die Straße hinauf, über die Brücke, dann hinunter, eine Straßenbahn fuhr quietschend vorbei. Es war dunkel, in der rechten Hand hielt ich die Plastiktüte mit dem Fotoalbum und dem Heft. Vor etwa dreizehn Jahren bin ich hier auch gegangen, zwischen Hunderten von Menschen, damals fand ein Fußmarsch mit fröhlichem Fahnenschwingen statt, anschließend hatte ich bei einem Laden auf meine Mutter gewartet, dort war auch der Junge gewesen, ich war sechs Jahre alt. Ihre Freundin war nicht dabei, damals war mir an den Passanten nichts Besonderes aufgefallen, aber nun wurde mir bewußt, daß sie etwas sonderbar Obszönes und Hektisches hatten.

Ich drehte mich um, niemand lief hinter mir, der Junge in unserem alten Haus hatte mich nur ein bißchen angegähnt und mit schlafverzerrtem Gesicht ein paar Fotos angesehen, über die er sich mit seiner Tante oft kaputtgelacht hatte, mehr wußte er nicht, konnte er nicht wissen. Erst gestern hatte er sich an mich erinnert, als sein Vater gestorben war, weil dieser häufig auf Curaçao gewesen war und ihm Briefe darüber schrieb. Meine Mutter hatte damals, als wir aus Curaçao zurückkamen, wegen Kopfschmerzen das Bett nicht mehr verlassen. Sie lag wochenlang blaß auf dem Diwan und ich mußte ihr die Füße waschen und aus Büchern vorlesen, weil sie sich eine Augen-, Ohr- und Munderschütterung zugezogen hatte, wie sie selbst verächtlich in Momenten sagte, wenn sie nicht zu schreien brauchte. Anschließend waren wir in die Stadt umgezogen, in der wir jetzt wohnten.

Ich ging durch die schmalen Straßen ins Zentrum der Stadt, zum Platz, an dem die hohe Kirche stand, gegenüber lag das alte Rathaus. Es war viel los, die Geschäfte waren noch geöffnet, Einkaufsabend, ich ging zwischen Männern und Frauen durch, die alle auf dem Heimweg waren. An einer Gracht standen Marktbuden, Bücher, Möbel, alte Radios, Gebäck, Nüsse, Stoffballen, Unterwäsche, Lederjacken, CDs, alte Bilder. Zwischen zwei Buden stand ein weißgekleideter Mann auf einem Hocker, totenstill, der einen Hut vor sich ausstreckte, als grüße er alle Passanten mit anmutiger Gebärde. Ich erinnerte mich, daß meine Mutter mich zu einem Friseurgeschäft mitgezerrt hatte. Ich sei ewig nicht beim Friseur gewesen, hatte meine Mutter gesagt, jemand fegte in diesem Geschäft den Fußboden mit hölzernen, immer gleichen Bewegungen. Er macht den Laden sauber, hatte meine Mutter in einem Ton gesagt, als sei das verboten, wenn er nur nicht die Wände und die Decke vergißt, hatte ich gedacht, da setzt sich der meiste Dreck ab, ich stand wie gelähmt da und sah ihm zu, es war still geworden, meine Ohren waren in die Luft geflogen, und die Stille vereinte sich mit einer ständig stärker werdenden Farbenglut in dem Laden, wie es heute mittag, kurz bevor der Junge auf dem Balkon aufgetaucht war, auch geschehen war. Das Weiß der Wände im Laden wurde doppelt so hell, als wäre frisch gefallener Schnee hingeklatscht worden, das Braun der Stühle wurde dunkler, ein Farbendunst stieg in den Laden, ich stellte mich erwartungsvoll neben meine Mutter, die das offensichtlich als Aufforderung sah, eine komisch gemeinte Aufzählung dessen zu geben, was im Laden zu sehen war, es war kein Schreien gewesen, ihre Wörter hingen mit den Gegenständen im Laden zusammen, sie beschrieb das ganze Inventar, als wäre ich plötzlich blind geworden, sie hatte Wörter dazu ergänzt, an die ich mich jetzt wieder erinnerte, ihre Stimme hatte fröhlich geklungen, als erzählte sie mir ein Märchen im Bett.

Ich wartete in der lebhaften Einkaufsstraße vor einem großen Radio- und Fernsehgeschäft. Im Schaufenster strahlten zwanzig Fernsehgeräte das gleiche Programm aus: Zwei Männer gingen über eine Wiese, plötzlich veränderte sich das Bild, spielende Kinder erschienen in der Nähe eines Hafens mit Segelbooten. Danach kam eine Kirche ins Bild. Neben mir stand ein Mann im beigen Regenmantel, er starrte mit mir auf die Bildschirme, auf denen Segelboote fuhren.

»Meneer, war hier früher ein Friseursalon«, fragte ich.

»Der war weiter oben«, sagte er, »auf der anderen Seite.«

Er zeigte in eine unbestimmte Ferne, als befände sich der Friseursalon außerhalb der Stadt neben einem alten Bauernhof.

»Hier war früher ein Schreibwarenladen«, sagte er, »ganz früher war hier oben eine Bibliothek, da habe ich mir immer Bücher ausgeliehen.«

Wir dachten eine Zeitlang an Bücher, die in langen Reihen hinter Gardinen in Schränken standen. Im TV-Schaufenster bewegten sich die Bilder hin und her, sie waren an den wegebbenden Straßenlärm angeschlossen, sie strömten in unsere Köpfe und stiegen durch unsere Schuhe bis unter die Straßendecke, unter der Rohre lagen, die sie durch riesige Bildkanäle zu den Ozeanen der Erde weiterleiteten. Zwei, drei verbissen aufeinander einschimpfende Männer tauchten auf, verschwanden, im Geschäft hatte jemand auf einen anderen Kanal umgeschaltet, die reden einen Stuß zusammen, hatte er gedacht, nun waren Bilder einer tropischen Landschaft zu sehen, die Kamera stand hinter mir auf der Straße und projizierte die Bilder wie zartfarbenen Regen über meine Schulter auf die Bildschirme im Schaufenster. Der Mann neben mir sah auch hin.

»Das ist Curaçao«, sagte eine Stimme hinter mir, »da bin ich gewesen, dort gibt es massenhaft Schiffe.«

Hinter mir stand der Junge mit den weißgepunkteten Haaren, er sprach leise.

»Du glaubst mir nicht, daß ich dort gewesen bin«, sagte ich, »aber es ist bestimmt wahr.«

»Ich war auch dort«, sagte er, »mit meinem Vater.«

Wir standen nebeneinander, in Erinnerung zu Bildern zurückgekehrt, die Curaçao jeweils vorausgegangen waren, Bilder einer mutterlosen Zeit. Er drückte seine Schulter gegen meine, nicht bedrohlich wie vor ein paar Stunden, sondern Stütze suchend, statt des zu erwartenden Gefühls stärker werdender Intimität lief mir ein Schauder den Rücken hinunter, es war kälter geworden. Wir blickten in das Schaufenster, jeden Augenblick waren Vertraulichkeiten von ihm zu erwarten, wo er mich zum erstenmal gesehen, was er damals gesagt hatte und wo er stand, als er mich heute nachmittag auf dem Platz hatte ankommen sehen. Fragen sprudelten in meiner Kehle, ich wollte ihn trösten, weil sein Vater gestorben war, aber ich beschloß zu warten, ob er mich noch länger verspotten oder meine Erwartungen abkanzeln würde. Ich spannte meinen ganzen Körper an, konnte aber nicht verhindern, daß mein Blut bis dicht unter die Haut kroch. Einer der Männer von der Wiese stand allein in einem Zimmer und redete in vertraulichem Ton mit mir, er lispelte und riß ab und zu den Mund auf, so daß die Lücke zwischen seinen Vorderzähnen sichtbar wurde.

»Wenn du dir auf Curacao die Augen verbrennst«, sagte der Junge neben mir, »dann ist es aus mit dir.«

Er holte aus der Hosentasche ein Kuvert und drückte es mir in die Hand. Der Mann im Fernseher warf noch einige zusätzliche Wörter in den Raum. Ich stellte die Plastiktüte ab und öffnete das Kuvert. Farbig bedruckte Kärtchen waren darin, so groß wie Visitenkarten, auf denen Gegenstände abgebildet waren: ein Stuhl, eine Lampe, ein Apfel, ein Haus, ein Brötchen, ein Füller.

»Die lagen noch bei uns herum«, sagte er.

»Ich habe Hunderte davon«, sagte ich, »ich habe sie mal von einem Onkel bekommen, es ist ein Spiel, meine Mutter und ich haben es oft gespielt, man muß heraussuchen, welche Kärtchen zusammengehören.«

In den Fernsehern erschien nun eine Sängerin hinter einem Mikrofon in schwarzweiß.

»Das ist Mieke Telkamp«, sagte er, »meine Tante erzählte mir neulich, sie habe sie vor Jahren bei einer Revue mit einem Matrosen gesehen, sie hätten wie verrückt miteinander geknutscht. Der Matrose soll seine Zunge bis in ihren Hals gedrückt haben, als wolle er ihre Stimmbänder kitzeln.«

»Das war kein Matrose«, sagte ich, »er gehörte zu einer Ballettnummer mit Matrosen, er hatte nur so einen Anzug an.«

Wir lachten schallend. In den Fernsehern waren wieder Bilder einer tropischen Landschaft zu sehen. Es war Abend. Auf einer Bühne tanzte ein Schwarzer, der mit bunten Girlanden behängt war, Schweißperlen standen ihm auf der Stirn, vor der Bühne tanzte eine fröhliche Menge, in der ich auch die Freundin meiner Mutter zu sehen glaubte. Sie winkte mir zu und neben ihr winkten auch andere Leute.

»Wo hast du eigentlich genau gewohnt auf Curaçao«, sagte er.

Ich steckte die Kärtchen wieder ins Kuvert und legte es in die Plastiktüte.

»Nah am Hafen«, sagte ich.

Es war jetzt dunkel, die Geschäfte waren geschlossen, die Lampen in den Schaufenstern erloschen langsam, als schämten sich die Ladenbesitzer für das schwindende Licht. Ich fühlte mich verlassen, aber das normalerweise damit einhergehende feierliche Gefühl fehlte. Der Tanz im Fernsehen war beendet, Tausende Menschen winkten und winkten in den Raum, ins Bild kam ein abgegriffenes Foto eines alten, weißgekleideten Mannes, der zweifellos schon Jahre tot war, von drei fröhlich lachenden Jungs umringt, die sich ehrerbietig um den Mann gruppierten, sich aber immer kichernd anstießen.

»Mein Vater ist gestern gestorben«, sagte der Junge neben mir.

Er sah mich nicht an, ich erwartete, er würde es wiederholen, lachend, weil er auf die Idee gekommen war, es zu sagen, als das Foto des Mannes mit den Jungs auf dem Fernsehschirm erschien. Es waren mit großem Ernst, ja sogar ehrfurchtsvoll gesprochene Wörter, in einem Ton, als beträfe es eine Mitteilung für gestrandete Urlauber, wahrscheinlich hatte er es mir schon vor Stunden sagen wollen und sich durch sein Singen und Tanzen auf dem Balkon darauf vorbereitet, das schien ihm die beste Art und Weise, mich über den Tod seines Vaters zu informieren, danach hatte er meine Zunge mit seinen Lippen berührt, auch das war eine geschickte Art und Weise, mich zu informieren, zwar etwas umständlich, er hatte mich sogar an sich gedrückt, während er etwas ganz anderes beabsichtigte. Er hatte seinen Vater sehr geliebt, Tränen sprangen mir in die Augen, er hatte schon stundenlang am Sarg verbracht, der im Balkonzimmer stand, sein Vater trug eine weiße Marine-Uniform, auf der seine Orden deutlich zu sehen waren, die Mütze lag am Fußende, leider nicht ganz akkurat, das hatte er seiner Tante noch sagen wollen. Ich sagte nichts, es hätte nichts geholfen und er hätte sich nichts daraus gemacht. Übrigens war ich mir nicht sicher, ob ich ihn richtig verstanden hatte. Vielleicht hätte ich ihm jetzt erzählen sollen, daß meine Mutter auf Curaçao krank geworden war, einen Zusammenbruch erlitten hatte, das hätte ihn trösten können, aber mir war nicht klar, was das mit dem Tod seines Vaters zu tun hatte, und obendrein hätte es passieren können, daß er plötzlich weglaufen oder mich zusammenschlagen würde. Wir drehten uns um. Auf der anderen Straßenseite, vor dem erloschenen Schaufenster einer Bäckerei, stand seine Cousine.

Der Junge nahm die freche, provozierende Haltung eines Straßenmusikanten an, Hände vor der Brust geöffnet wie ein Operettensänger, der dem Dienstmädchen aus dem ersten Akt seine Liebe erklärt. Auf das, was nun geschah, war ich völlig unvorbereitet, er riß den Mund sperrangelweit auf und heraus kamen ruckartige, stampfende Töne, die in den Abend purzelten: Er imitierte mit hoher Stimme ein Klavier, schaute dabei vor sich hin, ohne, so schien es, etwas zu sehen, direkt in die Gesichter der Passanten, die stehengeblieben waren und ihn wiederum ansahen. Er schämte sich nicht für seine kühnen Klänge, seine Hände bewegten sich vor dem Körper hin und her, als bespiele er eine Tastatur, und mir wurde klar, daß er eine Imitation des Klaviervorspiels zu dem Lied, das er auf dem Balkon mitgesungen hatte, zum besten gab. Kurz darauf schien er sich hoch in die Lüfte zu erheben, aber er hatte sich nur auf die Zehenspitzen gestellt und fing an, das Lied zu singen. Zuerst traute ich mich vor Scham und

Angst nicht zuzuschauen oder zuzuhören, aber seine Stimme sang sich fortwährend zu mir hin, als sänge er das Lied nur für mich, ich blieb wie eine Pflanze im Schatten eines Baumes stehen. Alles, was er mir erst genommen hatte, meinen Geruch, meine Erinnerungen, mein Blut, versuchte er mir mit diesem erschütternden Lied zurückzugeben. Das Lied war ein kühnes Opfer.

Er sang die Wörter, schneidend und glasklar, es waren deutsche Wörter, schrill und röchelnd, und er begleitete seine Stimme stets mit dem Dröhnen eines Klaviers. Das Lied war wie ein Theaterstück. Das Mädchen überquerte die Straße und stellte sich zu mir, wollte zeigen, daß sie zu uns gehörte, sie hatte dies schon öfter erlebt, er sang zu den verrücktesten Zeiten Lieder. Mehr Menschen blieben vor uns stehen. Immer wieder veränderte er die Stimme, um zu zeigen, daß die Wörter zu einer anderen Person gehörten. Es war ein stürmisches Lied, es bestürzte mich, ich stand mitten zwischen den Wörtern dieses wirren und schamlosen Liedes, das mir das Blut unter der Haut in die Enden meiner Sinnesorgane jagte.

Und ich lauschte wie er sang:

»Mein Vater, mein Vater, und hörest du nicht,
Was Erlenkönig mir leise verspricht? –
Sei ruhig, bleibe ruhig, mein Kind!
In dürren Blättern säuselt der Wind. –

Willst, feiner Knabe, du mit mir gehn?
Meine Töchter sollen dich warten schön;
Meine Töchter führen den nächtlichen Reihn.
Und wiegen und tanzen und singen dich ein.«

Es handelte, allmählich begriff ich es besser, von einem Vater, der mit seinem Sohn zu Pferde in den Wald hineinreitet, ich konnte es jetzt auch viel besser verstehen als auf dem Balkon, während des Liedes wurde der Sohn immer wieder von einem Erlkönig belästigt, einem fahlen Schemen, über den weiter nichts gesagt wurde, offensichtlich war er unsichtbar oder damit beschäftigt, unsichtbar zu werden, und dessen Gesicht von dem Jungen, wie auf dem Balkon, als schmerzverzerrte Teufelsfratze dargestellt wurde, obwohl er gelegentlich auch lächelte. Dieser Schemen, einem Wolkenfetzen gleich, versuchte dem Vater den Sohn zu rauben, ihn ihm abspenstig zu machen, nicht mit Gewalt, das war gar nicht nötig, sondern mit Versprechungen, Verlockungen und schändlichen Angeboten. Er lockte ihn zu sich mit schönen Versprechungen über ein Reich, das zwar weit weg, aber doch erreichbar war, er bot ihm seine beiden Töchter an, die in einem Schloßgemach auf ihn warteten. Und der Sohn sagte seinem Vater, daß jemand oder etwas ihn bedrohe, Vater, siehst du denn nicht, siehst du denn nicht den Erlkönig, schrie er, doch seine Worte zerstoben im nebligen Wald, sein Vater hörte nichts, vielleicht durch den aufkommenden Wind, die einfallende Dunkelheit, er wollte einfach nichts hören, das ließ der singende Junge durchschimmern, er hatte einfach Watte in den Ohren, dieses Geschwätz über Erlkönige, das reicht mir jetzt aber, er hatte absolut nicht vor, die Reise zu unterbrechen, pädagogisch wäre das nicht zu verantworten, außerdem sprach der Erlkönig deutsch, also darauf können wir uns überhaupt nicht einlassen, obwohl es für die Sprachentwicklung des Sohnes gar nicht so schlecht wäre. Er hatte ja auch recht, fand ich, so schlimm war es wahrscheinlich nicht bei dem Erlkönig zu Hause, einmal in der Woche eine richtige Schlägerei, ab und zu ein bißchen Geschrei mit einer Stimme, die der meiner Mutter glich, wuchernde Pflanzen, sprechende Bilder, das war vermutlich alles, es gab bestimmt mehr Kinder, die um Hilfe riefen, auch Erwachsene, die ganze Welt war voll davon, selbst Königin Beatrix stand zuweilen auf dem Balkon und schrie vor sich hin. Und so zogen der Vater, der Sohn und der Erlkönig jammernd, wimmernd und schimpfend in den Wald hinein, der Vater sang ein Lied, um seinem Sohn nicht zuhören zu müssen, und der Erlkönig sang genauso wie der Junge, der hier stand, lauthals und ergreifend, er hatte jahrelang geübt. Er sang das Lied aus voller Brust, manchmal stotternd, als koste es ihn Mühe, die Wörter herauszulassen, er warf die imitierten Klavierklänge mit rollender Zunge unter die Wörter, ab und zu stampfte er mit den Füßen auf. Das Mädchen neben uns sah ihn nicht an, sie studierte die Leute vor uns, die stehengeblieben waren und bewundernd lauschten, das Lied näherte sich dem Ende, der Junge sang langsamer, die Leute warteten schweigend, bis es zu Ende war.

Ich war stolz auf das Lied, es war mein Lied, ich hatte es für den Jungen geschrieben, es war mein Junge, der gesungen hatte, ich hatte ihm das Lied beigebracht, ich hätte es genauso gut singen können, aber heute abend war er dran, heute ist er der Erlkönig, würde ich sagen, dabei mit dem Daumen auf ihn zeigen, morgen bin ich wieder an der Reihe. Ich stellte mich direkt vor ihn, zwischen ihn und die nach vorn drängelnden Zuhörer, die uns immer weiter zum Schaufenster zurückdrängten, er hielt sein Gesicht in die Höhe und stampfte mit den Füßen auf den Bürgersteig. Ich stand vor ihm mit dem Rücken zu ihm, als wolle ich ihn beschützen, das Mädchen war aus meinem Blickfeld verschwunden, in der Hand hielt ich die Plastiktüte mit dem Fotoalbum, dem Pornoheft und den Kärtchen.

In einer Totenstille flüsterte der Junge die letzten Worte

des Liedes, das Kind war tot, aber ich begriff noch nicht ganz, was genau geschehen war, ich wollte ihn später fragen, zwischen den Wörtern entstanden Lücken, als habe er Mühe, sich ihrer zu erinnern, er endete mit einer stammelnden, leisen Wiedergabe der Klavierklänge. Das Publikum applaudierte laut, man schrie lobende Worte, Bravo, riefen sie, wunderbar, wunderbar, einer, der ganz in der Nähe stand, schrie es vor Bewunderung heraus, der Junge hörte es sich teilnahmslos an, die Arme vor der Brust gekreuzt, ein Zittern verzerrte sein Gesicht, als kämpfe er zwischen Liederlichkeit und unangepaßter Unschuld, jemand drückte mir ein Geldstück in die gekrümmte Hand, mit der ich die Tüte festhielt. Ich öffnete die Plastiktüte, warf das Geld hinein und hielt sie geöffnet vor mich, man drängte nach vorne, um Geld zu geben, ein etwa zehnjähriges Mädchen kam zu mir, sie hatte geweint, auf ihren Wangen glitzerten Tränen, schweigend steckte sie Geld in die Tüte.

2

»Von meinem Vater gelernt«, sagte er, während er einen Arm um meine Schulter legte und mich vom Schaufenster in die Einkaufsstraße mitzog, die immer dunkler wurde und in der nur noch einige Jugendliche herumirrten. Er war anders angezogen als am Nachmittag, jetzt trug er einen schwarzen Pulli mit gelben eckigen Streifen vornedrauf, in der Mitte wie ein Lichtblitz der Buchstaben Z, auch in gelb.

»Vor etwa zehn Jahren, kann auch noch länger her sein, habe ich dich hier bei einem Möbelgeschäft gesehen«, sagte ich, »es war hier irgendwo in der Nähe.«

»Das hast du mir schon erzählt«, sagte er.

Neben uns, etwas vor uns, lief das Mädchen, sie hatte eine dunkelfarbene Lederjacke an und ein Kleid bis weit unter die Knie, das um ihre Beine schlenkerte. Sie ging langsamer und kam neben mich.

»Ich habe ungefähr drei Jahre auf Curaçao gewohnt«, sagte ich zu ihr, »vor dreizehn Jahren, ich bin nicht dort geboren, das war in Den Haag; als ich drei Jahre alt war, sind wir nach Curaçao gezogen, nun bin ich neunzehn, ich weiß nicht mehr so viel darüber.«

Ich hatte die Zahlen ohne Stocken genannt, als sagte ich eine vorher gelernte Lektion auf. Niemand sagte etwas. Ich brachte die beiden zum Stehen und holte das Fotoalbum aus der Tüte. Wir standen vor einem Reisebüro, das Mädchen sah ins Schaufenster. Ich schlug das Album auf und zeigte dem Jungen ein paar Fotos.

»Hier, ganz in der Nähe haben wir gewohnt«, sagte ich, »nicht weit von diesem Berg.«

»Heute nachmittag hast du gesagt, ihr hättet nah am Hafen gewohnt«, sagte er.

Er betrachtete die Fotos gleichgültig, er hatte sie schon tausendmal in seinem Leben gesehen, bis zum Gehtnichtmehr, ich brauchte ihm nichts mehr darüber weiszumachen, sein Vater und seine Mutter hatten ihm immer wieder bis ins kleinste Detail davon erzählt, und als er später aufs Gymnasium ging, gab es Freunde, die ganze Nachmittage ihren Spaß damit gehabt hatten. Er sah sie an, als wären es Eintrittskarten für ein Museum.

»Das ist überhaupt nicht Curaçao«, sagte er, »könnte Rotterdam sein.«

Das Mädchen stellte sich neben mich und blickte in das Fotoalbum, sie nahm es mir weg und blätterte ein paar Seiten um. Einige Fotos fielen auf den Boden, sie las sie auf und legte sie wieder ins Album.

»Kennst du diese Leute noch?« sagte sie.

Sie wies auf ein Foto, das Kinder neben einem roten Steinhaus zeigte. Der Junge warf nicht einmal einen Blick darauf, er rannte vor uns her, blieb abrupt stehen und wartete, bis wir wieder neben ihm waren. Das Mädchen schaute vom Album hoch.

»Hier bist du bei einem Auto«, sagte sie.

Sie nahm die Fotoserie mit den schwarzen Autos. Die weiße Kirche schien vornüber zu fallen. Das Foto, das mich mit der Freundin meiner Mutter zeigte, war verschwunden. Sie nahm ein Foto von einem Friedhof, auf manchen Grabsteinen lagen vertrocknete Blumen, graubraune grasähnliche Sträuße auf Marmorsteinen, der Fotograf war auf eine Mauer geklettert, sonst hätte er nicht alle Grabsteine draufgekriegt. Es war ein blendendes weißes Foto, als hätte jemand der Sonne extra Licht hinzugefügt. »Das war der Friedhof von Curaçao«, sagte ich, »da sind wir manchmal hingegangen.«

Danach schloß ich das Album, und wir liefen weiter. Das beste wäre, ihnen weiszumachen, daß mich Curaçao im Grunde überhaupt nicht interessiere, daß ich nur davon angefangen habe, weil ich kein anderes Gesprächsthema hatte. Ich steckte das Album wieder in die Plastiktüte. Ich könnte lachend allerlei Nepperinnungen an Curaçao wachrufen, drollige Wörter, wie heute nachmittag bei ihm zu Hause, Erinnerungen, die ich gar nicht hatte, ich wüßte nicht einmal mehr, wie meine Mutter ausgesehen hatte, als sie wieder nach Hause kam, geschweige denn, wie das Straßenpflaster und die Kakteen ausgesehen hätten, wie der Wind, der dort immer wehte, über die Insel geblasen wurde und einen Blumenduft verbreitet hatte. Der Junge schien auf solche Geschichten zu warten, er neigte sich immer zu mir, als hörte er mir schon zu, bevor ich etwas erzählte, er kannte meine Geschichten bereits, ich brauchte sie nicht laut auszusprechen. Wir waren Teil eines langsamen Umzuges, vor und hinter uns liefen Jungen und Mädchen mit uns mit, sie unterhielten sich unruhig, gestikulierten, manchmal riefen sie laut, die Einkaufszeit war vorbei. Mein Gesicht kühlte in der Abendluft ab.

»Was hast du sonst noch in deiner Tüte«, sagte das Mädchen, sie ging direkt neben mir, ab und zu berührte sie mich mit ihrem Arm.

»Nur das Fotoalbum«, sagte ich, »meine Mutter sagte, ich solle es zurückgeben, sie meint, es gehört uns nicht, wir wären zwar auf den Fotos drauf, das gab sie zu, nach dem Essen haben wir hineingeschaut, sie hatte keine Ahnung, wie es bei euch gelandet ist.«

»Aber ihr habt doch in dem Haus gewohnt«, sagte sie, »ihr habt es einfach liegenlassen, du mußt deine Mutter noch mal fragen.«

In dem Augenblick grapschte der Junge nach der Tüte, entriß sie mir, steckte die Hand hinein, ich wollte sie ihm entwinden, aber es gelang nicht, er faßte tiefer hinein und holte das Heft heraus.

»Verdammt, da ist das Pornoheft«, sagte er.

»Gib's her«, rief ich.

Das Mädchen und er betrachteten die erste Abbildung mit der stillen rothaarigen Frau und blätterten dann langsam die Seiten um. Sie sahen die Fotos an wie Briefmarken in einem Album, das sie mir vielleicht einmal abkaufen, es aber vorher auf Duplikate kontrollieren wollten. Wir standen vor dem Schaufenster eines Haushaltwarengeschäfts, auf der Scheibe klebte ein Plakat gegen die Jagd, das Foto eines Jägers, der ein riesiges, rauchendes Gewehr auf uns richtete.

»Es lag auf dem Dachboden bei der Freundin meiner Mutter«, sagte ich, »in einer Kiste mit lauter altem Plunder.«

»Der hat den größten Schwanz«, erklärte der Junge und zeigte auf einen Mann, der im Begriff war, in die Möse einer Ballettänzerin einzudringen.

»Der von dem Clown war größer«, sagte das Mädchen.

Sie blätterten zurück, um besser vergleichen zu können.

»Der Neger hier hat auch einen großen«, sagte der Junge.

Wir standen beisammen wie Kinder, die einen auf dem Rummel gewonnenen Preis ansehen. Auf der anderen Straßenseite sah ich plötzlich meine Mutter und ihre Freundin mit anderen Männern und Frauen, sie hatten fröhliche Gesichter vom Lachen und Reden, sie neigten sich einander zu, während sie weiterredeten. Sie kamen auf uns zu.

»Nicht hochschauen«, sagte ich, »da geht meine Mutter zum Schultreffen. Sieh vor dich hin.«

Der Junge und das Mädchen schauten weiter in das Pornoheft, ich richtete den Blick auf das Schaufenster und betrachtete die ausgestellten Artikel. Die Gesellschaft mit meiner Mutter und ihrer Freundin lief geschwind weiter, ihre Füße glitten über das Straßenpflaster, von dem kein Geräusch kam; vermutlich hatten sie sich bei einem Vortreffen getroffen, bei einem ehemaligen Schulkameraden, der früher im Rollstuhl saß, nun aber völlig gelähmt war, er konnte nur noch die Stimmbänder bewegen, er war außerordentlich kunstsinnig gewesen, ist es immer noch, seine Kunst gab vielen Kunstliebhabern ein etwas wirres, wenn auch angenehmes Gefühl, als sei es eine Ehre, daß sie ihnen gefiel. Er hatte im Bett gelegen, von weißen Kissen, Abziehbildern und Rätselheftchen umringt, nicht zuviel Krach machen, hatte die Krankenschwester gesagt und ihnen eine Liste mit zehn Wörtern gegeben, die um jeden Preis vermieden werden mußten, sie waren gewarnt und hatten sich gegenseitig fortwährend wiedererkannt, ein Schultreffengefühl pur hing im Raum, aber im Lauf des Gesprächs hatte einer der Anwesenden doch ein verbotenes Wort gesagt, und sie konnten Leine ziehen.

Der Erljunge und das Mädchen stellten sich nebeneinander, ich beugte meinen Kopf zwischen ihre Köpfe und betrachtete die Abbildungen in dem Heft, es war ziemlich ausgeschlossen, daß mich meine Mutter und ihre Freundin so sehen konnten. Eine Szene war nach Meinung des Mädchens unmöglich, man würde nie alle zwei gleichzeitig reinkriegen, behauptete sie, das sei völlig unmöglich, da müßte man erst stundenlang pressen und drücken, und so lange blieben die nie steif, es sei sicher ein Trick mit virtual reality oder so, behauptete sie. Der Junge meinte, es sei doch möglich, es gäbe Leute, die stundenlang einen Steifen hätten, egal, warum, was sie auch sagten oder taten, er bliebe einfach steif, ja, meinte er, es ginge ohne weiteres, wenn man nur geil genug wäre, er sagte mir, das Mädchen täte es am laufenden Band mit den Jurymitgliedern bei Tanzwettbewerben, sie lachten beide schallend, du bist ein Arsch, rief sie, noch dazu mit diesen Idioten, sie schubsten sich, kichernd, zärtlich, wie Kinder, die nach einer tagelangen Reise endlich in einer Stunde den Strand betreten würden, der Junge schloß das Heft und gab es mir wieder, das Mädchen sah mich mit strahlenden Augen und sichtbaren Fältchen darunter an, sie sah mich erstaunt an, und ihr fragendes Lächeln verlagerte sich auf meinen Mund und meine Ohren, wieder wünschte ich, die Haare hinter ihren Ohren in den Mund nehmen zu können.

»Sind sie schon weg?« sagte sie.

Sie schlang einen Arm um mich und küßte mich auf die Wange. Meine Mutter wußte genau, daß ich am liebsten in der Nähe von Haushaltsläden biwakierte, weil sie mich, behauptete ich, an schöne Parkanlagen und Kunstbäume erinnerten, sie stand dann oft in der Nähe und wartete, bis ich mich sattgesehen hatte, was siehst du da nur, rief sie, wir müssen weiter, wir müssen noch zum Supermarkt, da kannst du auch viel sehen, und ich kann wenigstens einkaufen. Ich drehte mich nicht um. Mit Herzklopfen stand ich vor dem Schaufenster, das einen großen Sprung hatte, als hätte jemand kraftvoll einen Diamantring entlanggezogen. Wir standen beisammen wie Freunde, die sich hier verabredet hatten, die Bürsten und Töpfe im Schaufenster schwiegen, sie fanden es nicht der Mühe wert, uns näher zu betrachten: Zwei Jungen und ein Mädchen auf dem Nachhauseweg, der Laden war geschlossen, es gab nichts zu sagen.

Ich drehte mich um und im gleichen Moment drehte sich auch die Freundin meiner Mutter um, wir sahen uns direkt ins Gesicht, sie war nur etwa zwanzig Meter von mir entfernt, zwischen uns glitzerte die Straße wie ein Fluß, an dem Hunderte Kerzen aufgestellt waren, ich war müde von der Stille zwischen uns, ihr Gesicht leuchtete auf, als wären Autoscheinwerfer darauf gerichtet, ich wollte winken, hielt aber den Arm krampfhaft gesenkt, es war, als bitte sie mich flehentlich zu sich, wie sie es heute abend schon einmal getan hatte, danach stierte ich neben dem Jungen wieder ins Schaufenster, der darauf wartete, daß ich etwas sagte. Ich wandte mein Gesicht ab, riß ihm das Heft aus den Händen und preßte es an meine Brust.

»Wie war es eigentlich auf Curacao?« fragte das Mädchen, »ich habe früher in Indonesien gewohnt.«

Sie zeigte auf ein paar Käsehobel im Schaufenster.

»Wir wohnten dicht bei einem Sumpf«, sagte ich, »es gab eine halbgelbe Pflanzenmasse, Kakteen, Hyazinthen, gelbe und blaue Dotterblumen, es war eine Art Naturschutzgebiet mit Lilien, Zitronenbäumen, es stank dort entsetzlich.«

Sie hörte aufmerksam zu, der Junge hatte den Kopf abgewandt.

»Ich durfte nicht schwimmen«, fuhr ich fort, »dafür waren meine Augen nicht geeignet, sie bekamen zuviel Salzwasser ab, so daß ich fast blind wurde. Es gab dort einen Zoo, da gingen wir jede Woche hin. Später konnte meine Mutter Tiere nicht mehr leiden, aber anfangs schon, wir hatten im ganzen Haus Tiere. Es war eine phantastische Zeit. Ich hatte einen Onkel, der im Widerstand war.«

Das letzte stimmte, aber er war nicht auf Curaçao im Widerstand, den hatte es dort nicht gegeben. Meine Mutter hatte vor Monaten bei einer Gedenkfeier für Widerstandskämpfer seinen Namen in beschönigendem Ton genannt, als hätte er eine ansteckende Krankheit, die jeden Moment auf die ganze Gegend übergreifen kann. Die Artikel im Schaufenster veränderten allmählich ihre Farbe, was sie vollkommen austauschbar machte, sie konnten nun jeden Augenblick eine Diskussion miteinander beginnen.

»Was redest du da vom Widerstand, Mann«, rief der Junge, »den gab es dort überhaupt nicht.«

»Ich habe einen Brief an Corrie Konings geschrieben«, sagte das Mädchen, »und sie gefragt, ob ich eines ihrer Lieder singen darf, und sie hat es erlaubt, sie schrieb mir einen sehr netten Brief, wirklich eigenhändig von ihr geschrieben, nächste Woche singe ich es im Theater.«

»Sie möchte berühmt werden«, sagte der Junge.

Wir blickten nun alle drei ins Schaufenster, bis wir weitergehen konnten. Nimm mich doch mit, dachte ich, es braucht nicht auf ein Schloß zu sein, eine Achterbahn reicht auch, oder eine Hip-hop-Fete oder ein Friedhof, ich fühlte mich ausgesprochen gleichgültig, ich war mutlos wie jemand, der an die Wutanfälle eines Freundes gewöhnt ist und ruhig wartet, bis sie vorbei sind, weil man doch nichts dagegen tun kann, nichts hilft, wie auch nichts half, wenn meine Mutter zu schreien anfing.

Sie hatte mich mit ihrem Geschrei immer bei sich halten wollen, wurde mir klar, es war ihre Art gewesen, mich zu beschützen, mich in der Nähe ihres Geschreis zu halten, das überhaupt nicht zu ihr paßte, mit dem ich an sich nichts zu tun hatte, das sie mir aber für den Rest ihres Lebens wie einen Vorwurf hatte vorführen wollen. Ich habe geschrien, vor Kummer, wenn auch nur in Anfällen, aber du, du nicht, hörst du das, gottverdammter Knickstiebel, du nicht, du hast nur zugesehen. Ich bin hier die ewig schwachsinnige Verrückte, ja, ich, rief sie oft, wenn sie verständlich sein wollte, das wissen wir nun, ich habe es getan, ich war die Verrückte, als Mutter gottverdammt und als Frau, und nicht du, sie hatte es mir erbarmungslos ins Gesicht gebrüllt, mich damit verfolgt, bis ich meinen Ohren nicht mehr trauen konnte, ich war noch ein Kind, auch als sie schon lange für gesund erklärt war, Hinkelknochen, Finkblubberdreck, Wortkruste, stundenlang an einem Stück, mit einer Stimme wie ein Brennesselsturm. Aber mir ging es nicht darum, daß sie vorübergehend krank oder verrückt geworden war, dafür hatte es gute Gründe gegeben, die ich zu vergessen suchte und die mit Curaçao zusammenhingen, das war alles zu lange her, um noch immer daran zurückdenken zu müssen, darum ging es nicht, aber daß sie mir nie die Gelegenheit gegeben hatte, mich zu meiner eigenen Krankheit zu bekehren, was ich immer gewollt hatte, worauf ich aus ganzem Herzen, unendlich, unendlich, von dem Moment an, als ich aus Curaçao zurückgekommen war, gewartet hatte, darum war es immer gegangen, selbst von allen Blickverwirrungen gelähmt sein zu dürfen, woran ich litt, nicht auf ihre Art, sondern auf meine eigene. Und dieser Junge hier, dieser tanzende Poseur, Blumenverkäufer, Zungenmagnat und Erlkönig, er hatte es mir von dem Moment an gezeigt, als er auf dem Balkon gesungen und getanzt hatte, sein gleichgültiges Gesicht hatte mir endlich den Weg zu meiner Krankheit gewiesen, die erwartungsvoll in meinem Körper pochte.

»Wo ist das Schultreffen von deiner Mutter?« sagte das Mädchen während wir weiterliefen, »laß uns auch hingehen und sehen, was sie machen, vielleicht ist das Treffen sogar in dem Saal, wo ich nächste Woche auftreten muß.«

Wir näherten uns dem Ende der Einkaufsstraße und gingen über den großen Platz am alten Rathaus vorbei, gegenüber lag die ins Licht getauchte Kirche mit einem spitzen Turm, der geradewegs in den Himmel zeigte. Neben der Spitze hing der Mond.

»Was war das eigentlich genau für ein Lied, das du gerade eben und heute nachmittag auf dem Balkon gesungen hast«, sagte ich, »von diesem König und dem Mann und diesem Jungen, ich habe es in der Schule im Musikunterricht schon einmal gehört oder im Fernsehen.«

»Das ist kaum möglich«, sagte er, »es war nie im Fernsehen, ich habe es von meinem Vater gelernt, er hat es immer auf dem Klavier gespielt und gesungen, als er noch nicht krank war, und ich habe lauthals mitgesungen. Er hat mir auch erklärt, um was es geht, es ist von Goethe, es handelt von einem Erlkönig, der einen anderen verrückt oder krankmachen oder ermorden will, es sei nicht so wichtig, was er will, sagte mein Vater, wir haben ja schon darüber gesprochen.«

Während er sprach, zwängten wir uns zwischen Hunderten Jugendlicher durch, die auf dem Platz beieinander standen. Einige hatten Radios dabei, aus denen laute Musik dröhnte. Der Mond verschwand, und ihre Gesichter verdüsterten sich.

»Er will also einen Jungen wahnsinnig machen«, sagte ich, »aber warum sitzen sie dann auf einem Pferd, vielleicht wollte der Vater seinen Sohn nur in den Wald bringen und ihn dann verlassen und der Erlkönig versucht, ihn nun gerade zu retten.«

»Garantiert«, rief der Junge, »und darum ist der Junge am Ende auch tot. Hast du gehört, wie es anfängt? Hör mal zu. Ich will es dir übersetzen.«

Er verzog das Gesicht zu einer Singmaske. Dann sang er leise.

»Wer reitet so spät durch Nacht und Wind, es ist der Vater mit seinem Kind.«

»Das sagt noch gar nichts«, sagte das Mädchen, »wäre doch möglich, daß der Erlkönig auf Rettung aus ist.«

»Mein Vater erzählte«, sagte der Junge, »daß es möglich wäre, daß dieser Erlkönig nur in der Phantasie dieses Knaben existierte, es war einfach eine Art romantische Sehnsucht.«

»Nach Schultreffen oder so«, sagte ich.

»So was ähnliches«, sagte er.

»Aber wie geht es dann weiter, nachdem der Junge die Töchter angeboten bekommt«, sagte ich.

Während wir weitergingen, sagte er hastig Wörter vor sich hin, als wären es unwichtige Mitteilungen, die er einem Freund durchgeben mußte:

> »Mein Vater, mein Vater, und siehst du nicht dort
> Erlkönigs Töchter am düstern Ort? —
> Mein Sohn, mein Sohn, ich seh' es genau;
> Es scheinen die alten Weiden so grau. –«

»Siehst du«, sagte das Mädchen, »so schlimm ist es gar nicht, der Junge hat sich einfach getäuscht, er hatte etwas im Auge, und dann gingen sie tiefer in den Wald hinein. Ich kenne die nächste Strophe, paß auf.«

Sie sagte den Text laut vor sich hin:

> »›Ich liebe dich, mich reizt deine schöne Gestalt;
> Und bist du nicht willig, so brauch' ich Gewalt.‹ –
> Mein Vater, mein Vater, jetzt faßt er mich an!
> Erlkönig hat mir ein Leids getan! –«

»Dieser Knabe macht sich nur wichtig«, sagte ich, »er will nicht mit dem Erlkönig mitgehen, obwohl es doch letztlich darum geht, er müßte es eigentlich besser wissen.«

»Mein Vater sagte, es wäre ein Lied aus der Romantik«, sagte der Junge.

Er fuhr sich über das Gesicht.

Unser Gespräch hatte eine Wende genommen, der ich nicht mehr ganz folgen konnte, eine Wende, der ich mich nicht entziehen konnte, die das Lied in ein anderes Licht rückte, während es mir selbst soeben in aller Klarheit vor Augen gestanden hatte, als habe jemand kurz vor dem Einschlafen etwas gesagt, eine Reihe Wörter, die mit in den Schlaf genommen werden sollten und immer wichtiger wurden, je länger der Schlaf auf sich warten ließ.

»Es könnte auch sein, daß dieser Knabe schon lang sterbenskrank war«, sagte der Junge, »und ihn der Erlkönig von seinem Leiden erlösen wollte.«

»Mund-, Augen- und Zungenkrebs«, sagte ich mit Arztstimme, »sehr schmerzhaft.«

Wir redeten miteinander, als würden wir nach einem spannenden Film noch einmal den Plot durchnehmen, uns allen hatte der Film gefallen, wollten uns aber gegenseitig überprüfen, ob wir auch dasselbe dabei gedacht hatten. Ich versuchte mich zu erinnern, an was ich mich gerade wie eine Sturmbö erinnert hatte, jemand hatte mir etwas gesagt oder vorgesungen, das damit zusammenhing. Ich wußte nicht mehr, woran ich mich zu erinnern suchte.

3

Wir überquerten den Platz, an der Kirche entlang, und gingen in einen Teil der Stadt, in dem ich noch nie gewesen war. Die Straße war durch eine schmale Grasfläche zweigeteilt, links war ein Supermarkt, wir gingen schweigend an ihm entlang, aus einer Tür am Eingang kamen vier Jungen und ein Mädchen heraus. Drei der Jungen hoben die Hand hoch, als wollten sie den Jungen neben mir grüßen. Sie trugen dunkle Kleidung und bewegten sich träge, als wollten sie sich aus Ehrfurcht vor dem Abend nicht zu sehr beeilen, das Mädchen schaute uns an, sie schien uns winken zu wollen, besann sich aber.

»Kommen wir so zum Theater?«, sagte ich.

»Wir nehmen heute einen anderen Weg«, sagte das Mädchen, »erst hier über die Brücke, dann nach links, und dann sind wir gleich da.«

Wir gingen über eine niedrige Brücke, bogen rechts ab und gingen wieder am Wasser entlang, als ich nach links schaute, sah ich in der Ferne im orangefarbenen Schein der Laternen die Brücke, über die ich soeben in die Stadt gekommen war. Hier ganz in der Nähe war der Platz mit unserem alten Haus, erst geradeaus und dann nach links, aber wir nahmen einen anderen Weg. Der Junge ging mit gesenktem Kopf vor uns her, vom Theater war noch nichts zu sehen.

»Was ist das eigentlich für ein Treffen?« sagte das Mädchen.

»Von ihrer Schule«, sagte ich, »die besteht fünfzig Jahre, sie haben im Theater einen Saal gemietet, ich glaube, es gibt erst ein Programm mit Lesungen und Vorträgen und anschließend Tanz.«

»Weißt du auch in welchem Saal?« sagte sie, doch das wußte ich nicht.

Dann machte die Straße eine Kurve und in der Ferne tauchte heute zum zweitenmal, wie ein Schiff auf hoher See, in hohen Glaswänden unwahrscheinlich grell erleuchtet, zwischen winzigen Bäumen emporragend, das Theater der Stadt D. auf. Von hier aus war es jetzt kein lebloses Gewächshaus mehr, sondern ein durchsichtiger Schuhkarton, der etwas gerundet war, als glaube man, die Besucher hätten am liebsten ein gebogenes Dach über sich. Der Architekt des Gebäudes hatte sich von der Schiffahrt inspirieren lassen, eine Schiffsbrücke schien ans Theater gebaut zu sein, und der Theaterturm erhob sich wie der Schornstein eines großen Passagierdampfers. Wir schlenderten darauf zu, es war ein feuriges Schloß mit Mädchen darin, die die zickzackförmig angelegten Treppen hinauf und hinunter gingen, in der erleuchteten Eingangshalle hingen Stoffbahnen, wodurch der große Raum doch eine gewisse Intimität ausstrahlte. Je näher wir kamen, desto mehr fiel das Gebäude auf uns, es hing leicht vornüber, aber doch auch majestätisch, innen brannten unwahrscheinlich viele Lampen, so viele, daß jeder sinnliche Eindruck verloren zu gehen schien. Gespräche konnten in dieser Halle nur leise geführt werden, über den kleinen Restaurants und Bars hingen große Ventilatoren, um die Gerüche sofort abzuführen. Der Architekt war davon ausgegangen, daß der Mensch an einem Sinnesorgan genug hatte, dem Sehen; hören, fühlen und schmecken mußten sich die Besucher selbst dazu denken. Das Gebäude war von innen so hell erleuchtet, daß Besucher sofort an den Tod dachten. Wir standen draußen unter der überhängenden Schiffsbrücke, ein feuchter Wind wehte, von hier aus schauten wir in die Eingangshalle hinein.

Ein Mädchen kam tanzend auf uns zu, sie hatte dunkle Locken und trug einen grauen Pulli mit schwarzer Hose. Auf ihrem schwarzen Gesicht waren farbige Streifen. Sie tanzte mit eckigen Bewegungen an uns vorbei, ab und zu schoß ihr ein wahnsinniges Lachen ins Gesicht, sie verschwand auf der anderen Seite des Platzes und blieb bei einer Matratze stehen, die dort auf dem Boden lag. Sie betrachtete uns, als seien wir Tiere, sie lachte mit rhythmisch bewegtem Kopf, der sich auf ihrem Nacken hin und her schob, ruckartig von vorne nach hinten, wie ein Vogel, der sich nicht entschließen kann zu trinken.

»Wir müssen zur Frontseite«, sagte das Mädchen, »dort ist der Haupteingang.«

Wir gingen an den Pfeilern entlang, die die Brücke dieses Schiffes über unseren Häuptern festklemmten. Als ich mich umdrehte, legte das Mädchen denselben Weg hüpfend zurück. Am Haupteingang war niemand, neben den Glastüren hingen Plakate von neuen Aufführungen, ein bärtiger Mann hielt eine Frau fest, ein Schultreffen war nirgends angekündigt. Wir gingen durch eine rauschende Glastür und kamen in einen Raum mit einer weiteren Tür. Sie war verschlossen. In dem Raum, in dem wir nun standen, brannte schwaches Licht, es gab zwei Kassenschalter, an denen niemand saß.

»Wir müssen zum Seiteneingang«, sagte das Mädchen, »fürs Schultreffen gibt es bestimmt keinen Kartenverkauf, das ist eine geschlossene Veranstaltung, an der anderen Seite ist der Künstlereingang, wenn man dort wartet, kommt immer jemand raus und dann können wir rein.«

Wir verließen den Kassenraum. Der Junge neben mir hatte die zwangsläufige Blässe verloren, die er den ganzen Tag über hatte, er war ein normaler junger Mann geworden, ich hatte mir alles eingebildet, er wollte sich nicht rächen, er hatte mir etwas aus meiner Vergangenheit zeigen wollen, und da das nun vorbei war, verlor er viel von seiner Anziehungskraft, es war keine Rede davon, daß er mich je bedrohen wollte, ich konnte mir kaum noch vorstellen, daß er herzzerreißend ein Lied gesungen hatte, vielleicht war es gar nicht geschehen, obwohl die Melodie und der Text noch in mir weitersummten, ich hatte ein Gefühl, als wäre ich aufgewacht. Ich hatte ihn einfach falsch verstanden, das Problem war, daß ich heute ständig zur falschen Zeit irgendwo gewesen war. Alles beruhte auf falschen Momenten, ich war im falschen Moment auf Curaçao gewesen, sein Vater gestern im falschen Moment gestorben. Zufällig hatte er auf einem Balkon ein Lied gesungen, als ich vorbeikam, ich war im falschen Moment an unserem alten Haus gelandet, ich hatte ihn angesehen, ihn unglücklicherweise in meinen Armen gehalten, wie auch die Freundin meiner Mutter unglücklicherweise gestolpert war und ich dadurch in ihren Armen landete. All meine Erwartungen beruhten auf falschen Einschätzungen. Das Schultreffen ist schon in vollem Gang, sagte ich mir, wir sind viel zu spät, im Gang kann man Wurstbrötchen kaufen, an kleinen Ständen kann man Bücher kaufen, Tagebücher, Fotos, ein Zauberkünstler tritt vor einem angenehm überraschten Publikum auf, meine Mutter und ihre Freundin gehen Hand in Hand zwischen Tausenden von Aquarien, in denen Sauerstoff aufsprudelt, an den Wänden des Theaters hängen schallisolierende Vorhänge. Sie lachen Freunden zu, lachen sich zu, begrüßen die zum Treffen Gekommenen, zwischen den Sälen stehen weißgepuderte Lakeien, damit sie gut zu sehen sind, verträumte Männer mit roten Zungen, und von der Decke regnet es sanft weißen Kalk auf ihre Schultern. Sie weisen auf andere Säle und sagen etwas, dahin, dorthin, gehen Sie dahin, es gibt einen Tanzsaal, einen Klassenraum, einen Raum mit dicken Seilen, an denen sich Besucher hin und her schwingen. Und die ganze Zeit hört man klirrende Gläser, Stimmen, obwohl niemand je sichtbar spricht. Das Mädchen blieb vor einer blauen, hell erleuchteten Tür stehen.

»Das ist der Künstlereingang«, sagte sie, »wenn jemand rauskommt, gehen wir rein.«

Wir standen beisammen, der Junge fuhr sich übers Gesicht.

»Du solltest mit dem Lied auftreten«, sagte ich, »es ist wirklich phantastisch, ich hab' ganz schön Geld gekriegt.«

Ich hob die Plastiktüte zu ihm hoch.

»Ich habe ein Gemälde, auf dem dieser Erlkönig abgebildet ist«, fuhr ich fort, »er sitzt auf einem Bett, ganz in Weiß, er stützt den Kopf auf die Hand und starrt vor sich hin. Im Bett liegt ein bärtiger Mann, und es sind auch zwei Soldaten drauf, einer mit dem Rücken zum Betrachter und einer, der vor sich hin schaut. Meiner Meinung nach hat dieser Erlkönig einen Mord begangen und wartet jetzt auf seine Hinrichtung, daher die Soldaten.«

Meine Stimme war dunkelrot geworden.

»Ich habe es mal bei einer Schulfeier gesungen«, sagte der Junge.

Aus der blauen Tür kam ein Mann, er nickte uns zu, über dem linken Arm trug er einen grauen Regenmantel.

»Wir warten auf Irma«, sagte das Mädchen.

»Sie ist noch drin«, sagte der Mann, »finden Tanzwettbewerbe statt? Ihr könnt drin warten, es ist nicht viel los heute, nur ein Schultreffen.«

Er nickte uns zu, hielt uns die Tür auf, und wir gingen an ihm vorbei hinein. Wir standen in einem hohlen Raum aus Beton, in den verschiedene Türen mündeten, links war eine Glastür, hinter der eine Treppe nach oben führte.

»Das war der Direktor«, sagte das Mädchen.

»Dahinter ist der große Saal«, sagte der Junge, er zeigte auf die andere Seite.

Er öffnete rechts von uns eine Tür, und wir traten in ein dunkles Zimmer mit schwarzer Auslegware. Wir gingen durch das Zimmer und kamen zu einer anderen Tür, die der Junge unerwartet aufstieß, als wolle er den Lauscher auf der anderen Seite der Tür ertappen.

Wir kamen in einen Saal von der Größe eines Flugzeughangars. Es war dunkel, aber nicht ganz finster, irgendwo brannte ein Lämpchen, aber ich konnte nicht sehen, wo. Ich ging in den Saal hinein und schaute erst hinauf in einen unendlich großen Raum, an den Wänden hingen schwarze Vorhänge, meine Füße traten auf Holzdielen. Ich schaute in einen dunklen, gähnenden Raum und allmählich erkannte ich unten vor mir Reihen dunkelroter Stühle, nebeneinander aufgestellt, hintereinander, nach hinten durchgehend in einen Saal, der wie eine Woge im Raum hing. Wir standen auf der großen Bühne des Theaters. Über dem Saal, auf den wir herunterblickten, hing ein Balkon, steil nach oben zulaufend, als verschwände er in der Luft, das Ende war nicht zu sehen.

Hier streunten nachts Tausende Stimmen von Männern und Frauen herum, die sich aus den Wänden und den schwarzen Vorhängen befreiten und das, was je auf der Bühne gesagt worden war, wiederholten, manchmal zärtlich oder auch gekränkt und verzweifelt. Die Stimmen schlenderten nachts durch den Saal, bekämpften einander, verfingen sich in schweinischen Umarmungen, kletterten auf die Stühle, trafen sich zufällig und spuckten auf den Boden. Das Mädchen hat sich neben mich gestellt. Wir hörten hinter uns nur das Summen der Ventilatoren oder eines Computers, den man auszuschalten vergessen hatte. Wir wagten nicht zu sprechen. Hinter mir hörte ich dröhnende Schritte, und als ich mich umdrehte, sah ich den Jungen mit wilden Schritten über die Bühne tanzen, schwingend, winkend, als wollte er Leute im Saal begrüßen. Das Haar hing ihm strähnig um den Kopf, er tanzte über die Bühne von hinten nach vorne und wieder zurück, das Gesicht wie aus Granit, nicht spöttisch, sondern ernst, es war ein grauer Schemen, der Erlkönig aus dem Lied, und seine dröhnenden Schritte schlugen gegen die Holzdielen. Er war wieder der Junge auf dem Balkon, der Sänger und Tänzer, er schüttelte den Kopf wie ein Hund, der aus dem Wasser kommt und schien auf einem halb zugefrorenen Fluß von Eisscholle zu Eisscholle zu springen, er hing in der Luft wie ein Ballettänzer, seine Lippen gingen auf und zu, als sänge er ein Lied, er drehte sich wieder um, stampfend wie bei einem Volkstanz, er tanzte von mir weg, rannte von mir weg zur anderen Seite der Bühne und verschwand zwischen den Stoffbahnen in der Wand des Theaters, wo ihn die Stimmen liebevoll aufnehmen würden.

Das Mädchen und ich schauten in den Saal vor uns, ohne uns noch um den Jungen hinter uns zu kümmern. Sie neigte das Gesicht zu mir und küßte mich neben den Mund. Ich stellte die Plastiktüte ab, drehte ihr mein Gesicht zu und drückte meinen Mund auf ihren, wir öffneten unsere Münder mit unseren Zungen, ich glitt mit meiner Zunge an ihrer entlang, innen an ihrer Wange, anfangs gaben wir uns der Umarmung nicht völlig hin, wir waren uns an einer Bushaltestelle begegnet und wollten trotz des Kusses doch gut aufpassen, ob der Bus kam, ich hörte den dröhnenden Tanz des Jungen, ich nahm eine Hand des Mädchens in meine und zog sie an mich, auf meiner Wange spürte ich etwas Nasses. Ich löste meinen Mund von ihrem und sah sie an.

»Hast du noch Geschwister?« flüsterte sie.

Etwas anderes konnte sie nicht sagen, sie wollte es auf einmal wissen, sie hatte es mich die ganze Zeit schon fragen wollen, plötzlich war es von allergrößter Wichtigkeit.

»Vor sehr langer Zeit eine Schwester«, sagte ich, »aber sie hat nur ungefähr ein Jahr gelebt, das war auf Curaçao.«

Ich schob meine Lippen wieder auf ihre, sie durfte jetzt nicht mehr sprechen, unsere Zungen umkreisten sich unruhig, meine Hand lag auf ihrem Rücken. Ich war es nicht, der weinte.

Wir gingen durch das verdunkelte und schalldichte Zwischenzimmer wieder in die Betonhalle direkt hinter dem Künstlereingang des Gebäudes. Aus dem Aufzug hinter uns kam ein großer, glattrasierter Mann, er trug ein weißes Oberhemd und eine schwarze Fliege.

»Wir warten auf Irma«, sagte der Junge.

Er zeigte mit dem rechten Arm hoch hinauf, als säße Irma auf dem Dach des Theaters.

»Die ist noch drin«, sagte der Mann, »habt ihr Gerard gesehen?«

»Der ist gerade gegangen«, sagte das Mädchen.

Der Mann machte keine Anstalten zu gehen, offensichtlich hatte er den Aufzug nur genommen, um in diesem Raum stehen zu können.

»Wie ist es beim Schultreffen?« sagte ich.

»Da wird jetzt getanzt«, sagte er.

»Er tanzt auch«, sagte das Mädchen, »im Bezirk Noord.«

Sie zeigte auf mich. Der Mann nickte, vermutlich hätte es ihm nichts ausgemacht, wenn ich nicht tanzen würde, es war ihm ziemlich egal, wer tanzte oder nicht tanzte, sein ganzer Gesichtsausdruck bestätigte diese Gleichgültigkeit, auf seinem glatten Gesicht zeigte sich ein spöttisches Lächeln, das doch gleichzeitig sehr grob wirkte. Wer ihm das Gesicht ableckt, spürt keine Stoppeln, weil es keine gab, er rupfte sie jeden Tag mit einer fast unsichtbaren Pinzette aus, die er erst über einer Spiritusflamme erhitzte.

»Wir warten auf den Aufzug«, sagte das Mädchen.

Der Mann schwieg, behielt aber das spöttische Lachen. Direkt unter seiner Unterlippe war ein hellbrauner kleiner Fleck, der an den Rändern leicht weiß beschlagen war.

»Er hat auf Curaçao gewohnt«, sagte das Mädchen, »mit seiner Schwester.«

Sie zeigte wieder auf mich, als dürfe ich nur sprechen, wenn jemand auf mich zeigte.

»Das ist schön«, sagte der Mann.

Er rieb sich mit der rechten Hand übers Kinn um zu fühlen, ob da schon Härchen zum Vorschein kamen, er selbst hörte ein leicht kratzendes Geräusch, das aber für die anderen unhörbar war. Er rasierte seinen ganzen Körper spiegelglatt, auch die Schamhaare, jede Unebenheit auf seinem Körper wurde von ihm entfernt, wer seinen Schwanz in den Mund nahm, würde eine glatte, langsam steif werdende, gummiartige Substanz hineingleiten fühlen. Er blickte auf seine Schuhspitzen, jeder Blick und jede Geste war einstudiert, er konnte keine Minute auf der Straße gehen, ohne ein paar Schritte zurückgehen zu wollen, weil ihm die vorangegangenen Schritte nicht so gut gefielen. Wir betraten den Aufzug, der Mann blieb in der Halle zurück.

4

Wir gingen hintereinander durch einen langen, mit roten Plastikfliesen ausgelegten Gang. Der Junge öffnete am Ende des Ganges eine Tür und meine Ohren füllten sich unmittelbar mit plärrender Musik, die gegen alle Wände prallte. Wir standen hinten auf der Bühne eines großen Saales, kleiner als der vorige, rechts lagen Stapel von Jutesäcken, Kartons, Verstärkern und dicken Kabeln, vor uns standen in einem Meer aus rotem und gelben Licht, das ab und zu an und ausging, Musikanten, die große mexikanische Hüte und bunte Kostüme trugen, sie bewegten sich im Rhythmus der Musik, der Rücken des Schlagzeugers hüpfte auf und ab. Ich versuchte, durch die breite Lichtbahn in den Saal zu schauen, auf den sich die blecherne und ausgelassene Musik richtete, konnte aber nichts erkennen. Wir gingen nach vorne, überall lagen Taschen und Koffer, in denen die Musiker ihre Instrumente aufbewahrten, der Lärm war ohrenbetäubend, von dem Raum vor uns war nichts zu sehen. An der Seitenwand der Bühne, unsichtbar im Saal, führte eine Treppe nach oben. Der Junge zeigte dorthin und fing an zu klettern.

Ich folgte seiner Hand, bestieg die Treppe erst mit den Augen und sah, daß sich hoch oben, etwa drei Meter unter der Decke hinter einem herabhängenden Vorhang, eine Brücke über die Bühne zog, an die Scheinwerfer montiert waren. Die Musik brandete gegen meinen Körper, die Musiker warfen sich voller Hingabe auf ihre Instrumente. Die Musik verstummte, aus dem Saal schallte durch den Applaus eine begeisterte Stimme. Der Erlkönig kletterte langsam hinauf, hinter ihm das Mädchen, und dann kam ich. Langsam stiegen wir die Stufen hoch, hier wehte ein kühler Wind. Auf dem Weg zum Winterpalast des Erlkönigs, dachte ich, von hier aus schwebt er mit weißen Flügeln, die an seinem Körper hängen, zur Erde hinab, vorbei an Eisentreppen, tiefer und tiefer.

Der Junge kletterte nach oben auf die Brücke, das Mädchen hinter ihm, ihre Beine schimmerten über mir, danach kletterte ich auf die Brücke. Es war eine schmale Eisenbrücke, fürs Publikum unsichtbar, und wir konnten uns an einem Stahlrohr festhalten. Hinter uns flatterten schwarze Vorhänge, die fast bis zum Orchester herabhingen. Es war schauderhaft hoch; was unter uns lag, schien sich immer weiter zu entfernen, nur ab und zu wagte ich einen Blick in die Tiefe. Die Musik setzte wieder ein. Wir gingen über die Brücke zum anderen Ende wie durch einen dunklen Tunnel. An einigen Stellen stand der Vorhang einen Spaltbreit offen, dort waren auf Eisenstangen große viereckige Scheinwerfer geschraubt, die grellweißes Licht in den Saal sprühten. Der Junge zeigte zwischen den Vorhängen nach unten, wir standen über dem Orchester, über dem Saal, nah beieinander, schwindlig von der Höhe, losgelöst von der Erde, ich schloß die Augen und sah durch die Lider weißes Scheinwerferlicht, ich stand über einem gähnenden Abgrund. Der Junge zeigte auf eine Glaskabine, die ein paar Meter weiter an der Brücke befestigt war. Er öffnete die kleine Tür und ging hinein, auch die Kabine war vom Saal aus nicht zu sehen, Vorhänge hingen davor, die innen zur Seite geschoben werden konnten. Wer im Saal hinaufschaute, konnte nur Licht sehen, die brennenden Scheinwerfer auf der Kabine nahmen jede Sicht. Ich setzte mich neben der Kabine auf die Brücke, das Mädchen gesellte sich zu mir, wir schwangen unsere Füße über den Rand und schoben den schwarzen Vorhang vor uns zur Seite. Es war fast nichts zu erkennen, ich traute mich nicht, nach unten zu schauen, die Orchesterklänge schlugen gegen mein Gesicht, ich holte tief Luft, als wollte ich hinunterfliegen. Die Höhe rumorte in meinem Hals, ich wollte hinunterspringen, legte den rechten Arm um die Taille des Mädchens und drückte sie an mich. Danach schaute ich hinunter in den Saal des Schultreffens.

Der Saal wirkte erst dunkel, nur allmählich konnte ich etwas unterscheiden, obwohl ich noch nicht viel sah, während ich doch alles mit einem Blick sehen wollte. Um eine Tanzfläche standen kleine Tische, auf denen Kerzen brannten. Das Orchester spielte eine südamerikanische Melodie, trompetenartig, übertrieben schmetternd. An der Rückwand des Saales war eine Bar, über der bunte Lämpchen hingen, die Tische davor lagen im Dunkel. Kleine Gruppen von fünf oder sechs Leuten saßen an den Tischen und unterhielten sich, undeutliche Gesichter, wohl aber gestikulierende Hände, sie beugten sich zueinander, um neu erworbenes Glück auszutauschen, die Phase der aufs neue gemachten Bekanntschaften lag hinter ihnen, die Vergangenheit war besprochen, wegwerfend, darüber wollen wir nicht reden, letztes Jahr waren wir in Kitzbühel, es geht nicht gut mit der Diskriminierung in unserem Land, einige Münder bewegten sich, klappten auf und zu, aber das Orchester übertönte alles. Auf dem Tanzboden war es nicht voll, vielleicht zwanzig Tänzer, Gliedmaßen schoben sich aneinander vorbei, verwoben sich, Augen und Münder lösten sich von selbst im Saal auf. Ich hätte viel darum gegeben, dort unten zu sein, die Mühelosigkeit des Schultreffens hatte sich schon vor Stunden eingestellt und war vollkommen intakt geblieben. Ich hätte über früher mitreden können, über meine eigene Anwesenheit bei historischen Augenblikken, ich war auch dabei, ich habe Königin Beatrix auf Curaçao gesehen, würde ich sagen, sie tanzte mit den Negern, Gefühl und Geräusch, Wort und Bewegung, alles fällt zusammen, würde ich sagen, findet ihr nicht auch, es hat uns alle infiziert und wird uns später alle überrumpeln. Ich hätte ein perfekter Schultreffenbesucher sein können, wäre ich unten im Saal gewesen: Ich hätte in den vortrefflichsten Momenten Pausen eingelegt, ich hätte mit der Freundin meiner Mutter getanzt, sie locker in den Armen haltend wie ein alter Freund, der sie früher gut gekannt, dann aus den Augen verloren hatte und auf dem Tanzboden ohne weiteres in ihren Armen stehen durfte, nicht einmal meine Mutter hätte etwas dagegen haben können. Ich sah meine Mutter. Sie tanzte mit einem schwarzen Mann, war glücklich wie ein Mädchen bei ihrer ersten Tanzstunde, sie tanzte dicht vor ihm, hüpfte auf und ab, ihre Hände berührten den Boden und fuhren dann wieder in die Höhe, der Mann hielt sie an einer Hand fest und drehte sie im Kreis, ich konnte sein Gesicht nicht sehen. Der Tanz endete mit Trompetenschall, die Paare auf dem Tanzboden standen einander gegenüber und klatschten sich gegenseitig Beifall, meine Mutter und der Mann waren nicht mehr dabei. Die Freundin meiner Mutter saß in der Nähe der Tanzfläche, ihr schwarzes Kleid schien sich im Dunkel aufzulösen, sie beobachtete die Tänzer, manchmal war sie plötzlich dem Blick entzogen, doch als die Musik wieder einsetzte, sah ich sie wieder, das Gesicht nicht mehr blaß, sondern knallrot, vielleicht vom Tanzen, was ich sie jedoch nicht hatte tun sehen. Der Ausdruck angespannter Vorbereitung auf ihrem Gesicht, den sie zu Hause hatte, war verflogen. Sie war ein Gesicht zwischen Gesichtern, sie konnte ruhig die Augen öffnen, viel war doch nicht mehr zu sehen, herumwirbelnde Körper, zwischen ihnen Schweiß, schwingende Arme zwischen festlicher Kleidung. Sie hatte keine Angst mehr vor erneuerten Bekanntschaften, eine Angst, die den Rest der Schultreffenbesucher lähmte, sie äugte nach anderen Gesichtern auf dem Tanzboden, nur um Gesichter zu sehen, ohne daß eine Absicht dahinter steckte, sie hatte alle Theorien über diese Gesichter fallen lassen, es waren Gesichter geworden, ohne eine damit verbundene Vorstellung. Erst heute abend, lange nach der Eröffnung der Festlichkeiten, war ihr das gelungen, sie hatte diesen glücklichen Blick, der von Sehnsucht und Scham befreit war, bei sich wecken können, ich erkannte, daß es dem Erljungen in der Kabine neben mir heute auf dem Balkon auch gelungen war, er konnte ohne Vorurteile theorielos schauen, auf eine andere Weise als die Freundin meiner Mutter, ihr war es heute mittag zum erstenmal gelungen, als sie mich bei Tisch plötzlich richtig angesehen hatte.

Das Mädchen drehte sich zu mir, und wir küßten uns, ich könnte vollkommen glücklich und verlassen sein, wenn es mir gelänge, die Freundin meiner Mutter anzusehen, ohne an Curaçao denken zu müssen. Das Mädchen nahm meine linke Hand und führte sie an ihren Beinen entlang, unsere beiden Hände schoben sich an ihren im flackernden Licht aufleuchtenden Waden entlang, sie trug keine Strümpfe. Ihre Zunge fuhr über meine Lippen, sie schob meine Hand innen an ihren Beinen hoch, über die Schenkel bis an die Stelle, wo sie zusammenkamen, bis zu ihrem zarten Höschen, sie drückte sie auf den Stoff, auf den Körper darunter, sie rieb mit ihrer Hand über meine Hand, sehr langsam, als wollte sie sie in Bewegung bringen, sie spreizte die Beine und drehte mir ihren Oberkörper zu. Sie schloß die Augen und zuckte mit den Wimpern, als hätte sie etwas im Auge. Im Saal unter uns hatte eine neue Tanznummer eingesetzt, bei der alle den Refrain mitsingen mußten. Speichel und Schweiß vermischten sich auf unseren Gesichtern, ich rieb meine Hand, geführt von der ihren, über ihr Höschen, Hand auf Hand, Stimme auf Stimme, Mund auf Mund, zarter Stoff glitt durch meine Finger, und ich rieb hartnäckig weiter, als erschiene nach dem Reiben das Bild eines Sonnenuntergangs, ihre Hand drückte meine Hand noch dichter auf ihren Körper, wenn das noch möglich war, aus ihrem Mund stieg leises Brummen in meinen Hals, stimmloses Brummen, das sich in meinen Hals verlagerte, ich brummte mit ihr, sie schien etwas sagen zu wollen, aber als ich meinen Mund von ihrem lösen wollte, saugte sie ihn wieder an sich, Ding auf Ding, Rätsel auf Rätsel, Hand auf Hand. Sie hob ihr linkes Bein über mein Bein und legte ihren Fuß mitten auf die Brücke. Unter meinen Fingern entwirrte sich in dem zarten Stoff eine Ausstülpung, als vergrößere sich ihr Körper in dem Raum. Sie nahm ihre Hand von meiner Hand herunter, ihr Höschen war verschwunden, hatte sich in ihrer Hand aufgelöst, weggeschoben, und ich glitt mit zwei Fingern über ihren sich vergrößernden, wie eine kleine Blume aufquellenden Körper. Wir lösten unsere Münder und sahen uns an, um zu sehen, was wir aneinander sehen konnten, als wollten wir uns gegenseitig unseres Blickes versichern, bevor er erlöschen würde.

»Etwas höher«, flüsterte sie.

Sie legte ihre Hand wieder auf meine Hand und drückte auf meine Finger. Ihre Lippen bebten und sie schluckte.

»Geh hinein«, flüsterte sie.

Mein Zeige- und Mittelfinger glitten in ihren Körper,

an ganz zarten, unteilbaren Körperteilen entlang, ihre Finger schwebten über meiner Hand hin und her, als wolle sie sie berühren und auch wieder nicht, sie korrigieren und doch loslassen, sie begann, ihren Körper zu bewegen. Sie flüsterte mir etwas zu, was ich nicht verstand, als wolle sie beschreiben was sie dachte, ein Junge, der sie küßte, ein Mann, nach dem sie sich nachts sehnte und den sie morgens nicht vergessen konnte. Sie drückte ihr Gesicht auf meine Schulter und sprach stockende Sätze, als hielte man hinter meinem Rücken ein Blatt Papier hoch mit der Geschichte, die sie erzählte, sie brauchte sie nur abzulesen; dann kehrte sie zu meinen Augen zurück, ihr Körper schmiegte sich noch enger an meinen, ihre Hand beschleunigte meine Hand, ihre Augen brachen in meinen Augen, ihre Wimpern zuckten, ihr Blick blieb an mir haften, sie sah mich an und das, was sich hinter mir befand.

»Er puderte sich«, flüsterte ich, »er puderte sich das Gesicht, während du hinter ihm standest, du hast auf seinen aufgerichteten Schwanz geschaut, er hatte sich mit glänzender Salbe gesalbt und dann noch gepudert.«

Sie erwiderte etwas, was ich nicht verstehen konnte, sie bewegte ihren Unterleib an meinen Fingern entlang nach oben, sie war vorurteilslos geworden, flüchtig wie ein Vogel, ich bewegte meine Finger in ihr hin und her. Unten im Saal hatte das Singen Orkanstärke erreicht, das Mädchen erstarrte, als habe sie dazu einen Befehl erhalten, sie krümmte sich, als wolle sie verschwinden, sie drückte sich an mich, drückte ihren Mund auf meinen und wandte den Blick von mir ab. Ich hielt sie fest und wartete, bis die Erstarrung weggeebbt war.

»Dort sitzt die Freundin meiner Mutter«, rief ich und zeigte nach unten in den Saal, »sie ist auch auf Curaçao gewesen, heute abend sprachen wir noch darüber.«

Das Mädchen blickte in den Saal, aber an nichts war zu merken, daß sie etwas sah, ihre Augen erkundeten den Raum, sie wird sich nicht erinnern können, was sie gesehen hat.

»Du kannst das Album von mir haben«, schrie ich, »ich sah gerade meine Mutter tanzen.«

Sie verstand mich nicht.

Ich holte es aus der Plastiktüte und gab es ihr. Sie legte es auf ihren Schoß, schlug es aber nicht auf. Unten hatte das Orchester aufgehört zu spielen, der Tanzboden leerte sich, die Teilnehmer am Schultreffen saßen an den Tischen, nur hinten im Saal erklang noch Stimmengewirr und Gläsergeklirr. Auch die bunten Lichter über dem Orchester erloschen, ich konnte nicht sehen, ob die Musiker weggegangen waren, wagte nicht, lange hinunterzuschauen, ab und zu blinkte ein Feuerzeug, dann leuchteten Gesichter auf, verwirrt lachende Schultreffengesichter, die sofort wieder erloschen. Uns direkt gegenüber, hoch in der Wand des Saales erglühte ein Licht, das langsam stärker wurde, und aus einer Kabine auf der anderen Seite tauchte ein prismenförmiger weißer Strahl auf und versprühte Licht, in dem Staubteilchen hinabwirbelten und auf einer Leinwand unter uns zerstoben. Ich konnte nicht sehen, was auf der Leinwand gezeigt wurde. Ein Seufzer der Erwartung ging durch den Saal.

Ein großer Mann ging an ein Mikrofon in der Mitte der Tanzfläche. Er erzählte eine unverständliche Geschichte, die viel Gelächter hervorrief, ab und zu wurde sie von Applaus unterbrochen oder jemand rief etwas, und dann verdoppelte sich das Stimmvolumen des Mannes am Mikrofon, was mit brüllendem Lachen quittiert wurde. Das Lichtbündel, das die Bilder auf die Leinwand projizierte, schien sich ständig zu drehen, sprang auf und ab, Staub glitt würdevoll durch das Lichtbündel hindurch, versuchte, darin hängenzubleiben, aber rutschte unvermeidlich aus ihm weg. Das Lachen wurde lauter, der Redner hatte Mühe, es zu übertönen. Aus verschiedenen Ecken riefen sich die Schultreffenbesucher etwas zu, abwechselnd, als sei es so verabredet, eine Sturmflut von Wörtern wie Gesang erklang, die von schwungvollen Armbewegungen des großen Mannes am Mikrofon begleitet wurden, er zeigte in alle Richtungen des Saales. Sogleich stürmten Dutzende Pferde mit rotgekleideten Reitern in den Saal, die mit Speeren völlig willkürlich um sich stießen, wer getroffen wurde, brach blutend zusammen. Und dann sang man unten gemeinsam ein Lied ohne Orchesterbegleitung, es ähnelte einem Marsch und hatte einen Refrain, der länger war als das Lied und immer Anlaß zu Gelächter bot, danach gingen die Lichter im Saal wieder halb an, außer auf dem Tanzboden.

Der Junge kletterte aus der Kabine neben uns und stellte sich hinter uns auf die Brücke. Er berührte mit den Knien meinen Rücken und neigte sich über meinem Kopf.

»Hast du gesehen«, sagte er, »ich habe den Scheinwerfer auf verschiedene Tische gerichtet.«

Ich drehte ihm mein Gesicht zu.

»Ich habe nichts gemerkt«, sagte ich.

»Wo saß deine Mutter«, sagte er.

»Sie hat getanzt«, sagte ich.

Das Mädchen stand auf, sie legte das Fotoalbum neben mich. Die Gesichtszüge des Jungen waren wieder, wie fast den ganzen Tag schon, spöttisch. Seine Haare standen wild ab, die Spitzen leuchteten auf. Er holte aus der Hosentasche ein Feuerzeug heraus, während unter uns in der unendlichen Tiefe Tänzer zum Tanzboden gingen. Er knipste das Feuerzeug an, drehte sich um und ergriff einen der Vorhänge hinter uns. Er hielt das brennende

Feuerzeug daran. Das Mädchen rannte über die Brücke. Ich nahm das Fotoalbum, stopfte es in die Plastiktüte und stellte mich auf die Brücke. Der Junge versperrte mir den Weg und hielt immer noch die Flamme an den Vorhang. Es kamen keine Flammen. Er löschte das Feuerzeug, schüttelte es und entzündete es dann noch einmal, eine große gelbe Flamme kam heraus und glitt kringelnd über den Vorhang. Sei vorsichtig mit den Stimmen, wollte ich rufen, sie verbrennen, siehst du denn nicht, daß sie verbrennen, mein Mund sperrte sich schon auf, aber ich sagte nichts. Die Flammen glitten über den schwarzen Stoff, ohne daß er Feuer fing, sie hielten sich daran fest, als wollten sie seine Brennbarkeit testen. Der Junge löschte das Feuerzeug. Die Flammen schlichen untersuchend an den Vorhängen entlang, sie waren noch nicht richtig zum Brennen gekommen, sie waren noch blau, nicht gelb, keine Hitze. Unten im Saal spielte das Orchester eine wehmütige Melodie. Ich zwängte mich an dem Jungen vorbei, lief über die Brücke zur Treppe.

Wir hasteten die Treppe hinunter, der Junge hinter mir, jeden Augenblick könnten nun Hilfeschreie erklingen, doch die Musik spielte einfach weiter. Zuerst würde sich der Stoff orange färben, bis die feuerschützende Schicht geschmolzen war, dann würde er gelb werden, die Fetzen der Vorhänge würden das Orchester und die Tänzer unten bedecken, Kleider würden Feuer fangen, Männer würden sich aus dem Staub machen und Frauen über den Haufen rennen. Das Mädchen wartete unten an der Treppe auf uns, wir liefen schnell an den Koffern der Musiker entlang zum Ausgang des Saales, durch den Gang zum Aufzug. Der Brustkasten des Jungen hob und senkte sich leicht. In der Halle am Ausgang stand eine junge Frau neben einem Fahrrad, sie war älter als ich, blond und trug schwarze Turnschuhe, sie band eine Tasche auf ihren Gepäckträger. Sie arbeitete im Theater, war aber auch bei dem Treffen gewesen, weil sie in diese Schule gegangen war.

»Wart ihr beim Schultreffen?« sagte sie.

»Wir haben Irma gesucht«, sagte der Junge, »konnten sie aber nicht finden.«

Ich wollte an ihr vorbeischnellen, doch der Junge hinter mir hielt mich mit festem Griff zurück. Das Tanzmädchen wartete an der Tür auf uns.

»Immer langsam«, zischte er.

Ich kam zum Stehen. Wir standen mit klopfendem Herzen beisammen. Er beugte sich fast über mich, umklammerte mit der linken Hand meinen Nacken, als wolle er mich auf eine witzige Weise zum Polizeirevier bringen. Die Frau schien nichts zu bemerken. Sie war mit ihrem Fahrrad beschäftigt. Tränen schossen mir in die Augen, eine unendliche Müdigkeit überwältigte mich, während mich der Junge immer noch am Nacken festhielt, ich wollte mit meinen Händen das Naß wieder in die Augen zurückdrücken, aber es gelang mir nicht. Er ließ mich los und packte meine linke Hand mit einer heißen Hand, deren aussätzige Glut sich über meine ganze Haut verbreitete.

Die Frau nahm ihr Fahrrad und machte Anstalten hinauszugehen. Er ließ meine Hand los. Sie war zu dem Treffen gegangen, um noch einmal das Gesicht des Jungen, eines Schulkameraden, sehen zu dürfen, ungestraft wollte sie ihn anschauen, wie ich, sie erinnerte sich an seine Gebärden, wie ich mich an die Gebärden der Freundin meiner Mutter auf Curaçao erinnerte, an ihr lachendes Gesicht im Spiegel, während sie für mich sang. Ich erinnerte mich daran, ohne daß es Erinnerungen geworden waren, es war Curaçao geworden. Wie diese Frau mit dem Fahrrad jemanden gekannt und nie mehr vergessen hatte. Genau wie ich jemanden gekannt hatte. Und an jedem Tag ihres Lebens war er bei ihr aufgetaucht als Begleiter ihres Daseins, sie schämte sich für ihren Blick, wenn ein anderer Mann mitten in ihrem Körper war, sie schämte sich für ihre eigene Stimme, ihre Sehnsucht, ihren Geruch. Wie ich mich im Lauf der Zeit für Gegenstände in Schaufenstern geschämt hatte, für Fotos, Fensterbänke, Steine, Pflanzen und sich bewegende Gliedmaßen. Für das, was zu sehen war, weil ich es nie mehr so würde sehen können, wie ich es damals gesehen hatte. Sie hatte ihn auf dem Treffen für immer unsichtbar machen wollen, wie ich mich mit meinem Besuch in unserem alten Haus für immer hatte unsichtbar machen wollen, als letzte Rettung. Sie hatte ihn sehen wollen, am Eingang, im Tanzsaal, wo auch immer, es war nicht notwendig, ihm die Hand zu geben, nur für sich selbst hatte sie ihn sehen wollen. Sie hatte unendliche Erwartungen bei sich geweckt, bevor sie hierher gekommen war. Wir sahen uns nicht an, ich war jemand, der zufällig an einem Eingang bei ihr stand, das Fahrradschloß war auf, sie blickte zur blauen Tür des Ausgangs. Sie würde nach Hause gehen, die Haustür hinter sich schließen und sich in der Schwärze ihres Bettes mit offenen Augen neben ihren schlafenden Mann legen und schauen, bis ihre Augen im Dunkel aufgelöst waren.

Curaçao

1

Draußen rannten wir los, am Theater entlang, eine Straße nach rechts, wir gingen über eine breite Straße und bogen dann links ab, die Schuhe des Tanzmädchens knallten auf den Pflastersteinen. Kurz darauf gingen wir wieder nach links, ich wußte nicht, wo wir uns befanden. Rechts standen hohe Häuser wie auf dem Platz bei unserem alten Haus, links war ein Kanal. Vor uns auf dem Bürgersteig an der Häuserseite liefen vier Jungen, wir befanden uns auf einem Plattenweg am Ufer und holten sie ein, das Wasser glitzerte im Dunkel nach oben. Drei der Jungen hatte ich beim Supermarkt gesehen, einer war glatzköpfig und trug einen Walkman, er hatte wie ich eine Plastiktüte bei sich, die anderen schleppten große Reisetaschen mit sich herum. Der glatzköpfige Junge streckte den Arm zu uns aus, er wollte die feierliche Stille nicht mit Lärm zerstören, der Junge neben mir tat dasselbe, es war eher ein Zeichen des Einvernehmens als ein Gruß, die anderen drei Jungen nickten nur. Wir bogen rechts ein, gingen über die Straße zu der Häuserreihe und dann in eine Straße, an der beidseitig Häuser standen; hier war es dunkel, es gab keine Laternen, nur in einigen Häusern brannte im oberen Stockwerk eine Lampe, ich konnte auf meiner Armbanduhr nicht sehen, wie spät es war. Alles Licht war hier von der Erde aufgesaugt, weil der Mond hinter den Wolken verschwunden war. Aus der Stadt dröhnten Sirenen.

»Sie gehen zu einer houseparty«, sagte der Junge neben mir, er wies hinter uns, »die finden immer im Freilichttheater statt.«

»Wo gehen wir hin?« sagte ich, aber sie schwiegen.

Wir entfernten uns immer weiter von dem Haus der Freundin meiner Mutter, die Häuser hier hatten große Vorgärten, ab und zu gab es keine Häuser mehr, nur eingezäunte Grundstücke mit niedrigen Gebäuden oder Grasflächen mit leeren Containern, doch dann kamen wieder Häuser, villenartig mit hohen Bäumen und Auffahrten. Die Plastiktüte hing an meinem Körper. Als ich mich umschaute, sah ich in der Ferne keine rote Feuersbrunst, wohl aber einen Lichtfächer, der in einem Bogen über der ganzen Stadt hing. Der Mond war immer noch hinter Wolken verschwunden. Ich tastete an meiner rechten Hosentasche und holte ein paar Kärtchen heraus, die mir der Junge gegeben hatte. Eines davon fiel auf den Boden.

»Lauf weiter«, sagte der Junge, »ich habe zu Hause noch viel mehr.«

Das Mädchen hatte die Schuhe ausgezogen und in die Hand genommen, sie ging neben mir. Der Junge sah mürrisch drein, sein schuppiges Gesicht war vor Müdigkeit und Kummer verzerrt, hatte aber auch etwas Entschiedenes, als habe er eine Aufgabe zu erfüllen. Wir gingen unter einer Überführung durch, weiter aus der Stadt hinaus, an einem Industriegebiet entlang, das von hohen orangefarbenen Lampen beleuchtet war, wir gingen auf einer schmalen Brücke wieder über ein Wasser und landeten in einem neuen Teil der Stadt, wo ich noch nie gewesen war. Da standen große Neubauten, von Bäumen umringt, dazwischen kleinere Häuser mit flachen Dächern. Dann wieder am Wasser entlang, über Brücken, durch schlangenförmige Straßen mit Häusern, und zu meinem Erstaunen gingen wir plötzlich wieder am Fluß entlang, der um die Stadt lief, offensichtlich waren wir um die Stadt herumgegangen, ich hatte nichts gemerkt, ich sah die große Kirche auf der linken Seite über die Häuser hinausragen.

Der Junge begann von Curaçao zu erzählen. Er habe an zwei Orten gewohnt, sagte er, erst in einem kleinen weißen Haus mit einer Veranda, auf der Palmen standen und ab und zu Krähen vorbeiflogen, daran erinnere er sich noch gut, sagte er, es ginge um die Details. Abends hätten die Gebete der Moslems aus einem Viertel ganz in der Nähe hoch heraufgeschallt, erzählte er, neben dem Haus wären kleinere Häuser gewesen, in denen zu der Zeit noch Sklaven untergebracht waren. Ich ging dort in eine Schule für Landhausbesitzer, erzählte er, mein Vater brachte mich jeden Tag in einem Jeep hin, sagte er, ich habe einmal Tamarinden gepflückt und dich dort gesehen, es überraschte mich gar nicht, daß du bei uns vorbeigekommen bist, sagte er, schau dir das Fotoalbum mal gut an, dann findest du ein Foto, auf dem wir beide drauf sind. Hast du deine Mutter schon gefragt, warum sie das Album bei uns liegengelassen hat? Ist es nicht verrückt, sagte er, eigentlich feiern wir heute abend ein Wiedersehen, ohne daß du es wußtest. Seine Stimme wurde wieder heiser wie vor ein paar Stunden, als er das Lied sang, er blickte ab und zu hoch, als suche er Krähen. Später wohnten wir an einer breiten Straße in Willemstad, weißt du, sagte er, daß auf Curaçao jeden Tag am Meer Markt war.

Er erzählte noch mehr in der Dunkelheit der Nacht, die ab und zu von weißen Mondschlieren durchbrochen wurde, und in der wir langsam durch die Straßen gingen, während die Farben der Häuser, des Straßenpflasters und der Pflanzen in den Vorgärten allmählich schwächer wurden, eine winterhafte Farblosigkeit senkte sich über die ganze Gegend. Ich hörte ihm nicht mehr zu, ich wußte genau, daß er nie auf Curaçao gewesen war, das war aus allem klar geworden, er machte mir nur etwas vor, er verspottete mich wieder, alles, was er erzählte, wußte er nur vom Hörensagen oder hatte es von den Fotos im Album abgeleitet, er hatte sich diverse Phantasien über Curaçao eingeredet, die nichts mit dem wirklichen Curaçao zu tun hatten, dieser Junge schreckte vor nichts zurück, er redete einfach vor sich hin. Er war zwar pünktlich auf dem Balkon aufgetaucht, das konnte kein Zufall sein, doch wenn er meinte, sich nun alles erlauben zu können, irrte er sich gewaltig, er konnte über mich verfügen, das war klar, aber dieser Spott war unerträglich. So würde ich mein Ziel nie erreichen, ich wollte nicht zuhören, ich wollte ihm die Hände vom Körper wegdrehen, ihn entsetzlich peinigen, aber auch festhalten, um ihn zu trösten, weil er mein Junge war und es immer bleiben würde, er konnte nichts dafür, es war ansteckend, irgendetwas, was er nicht aufhalten konnte, trieb ihn weiter, genau wie mich, ich wollte ihn trösten und an mich ziehen, ihn warnen, paß auf, wollte ich sagen, bevor du es merkst, wirkt die Betäubung nicht mehr, und dann fängt alles von vorne an. Als wir wieder stehenblieben, kam das Mädchen, das etwas zurückgeblieben war, zu uns. Der Fluß war hier breiter. Wir blieben stehen, weil ich ihn gestoppt hatte und auf sie wartete, wie ein Bruder auf seine Schwester wartet.

»Er ist nie auf Curaçao gewesen«, sagte sie mir, und dann zu ihm »hör doch endlich damit auf, du Idiot.«

»Ich war aber wirklich dort«, sagte ich.

Wir gingen langsam nebeneinander weiter, der Junge vor uns her. Meine Mutter ist dort krank gewesen, wollte ich dem Mädchen erzählen, in einem Ton, der jede denkbare Fortsetzung des Gesprächs ermöglichen sollte, wie eine harmlose Mitteilung in der Pause eines wissenschaftlichen Kongresses, sie war eine Zeitlang nicht ganz zurechnungsfähig, wollte ich sagen, als hätte ich es in einer Zeitung gelesen, doch jedes Wort wäre zu viel gewesen, jede Erinnerung daran hatte das Tastbare verloren und wäre jetzt nur ein Satz in einem schlecht gespielten Theaterstück, den das Publikum nicht einmal genau verstanden hatte, weil jemand in dem Moment, als ich ihn sagte, einen Niesanfall bekam.

Auf der anderen Seite des Flusses, in dem sich der Mond gläsern kräuselte, lag die Altstadt, an einen Bogen aus Licht geschmiedet, ich wollte sie darauf hinweisen, hielt aber den Mund aus Angst, sie würde beschreiben, was da zu sehen war. Das Gesicht des Mädchens war sehr ruhig. Die Farben um uns herum wurden nun wieder kräftiger, der Mond verbreitete Helligkeit, die sich auf meinen ganzen Körper legte, ich war durchsichtig wie an einem Wintertag, Schnee lag in meinen Augen und auf meinem Mund, Schneespuren schienen vor uns her zu laufen. Wenn ich in den Fluß gehen würde, wäre ich sofort im silbernen Wasser verschwunden.

»Es ist noch ein Stück weiter«, sagte sie, »ich weiß, wo wir hingehen.«

Sie zeigte nach vorn.

»Was ist eigentlich mit deiner Schwester passiert?« sagte sie.

Ich schwieg.

»Auf Curaçao«, sagte sie, »du hast erzählt, deine Schwester sei dort gestorben, wie alt warst du da?«

»Ungefähr fünf«, sagte ich, »ich weiß nicht genau, was passiert ist, darüber spricht keiner, alle glauben, ich wüßte es.«

Ich legte meine Hand auf ihren Mund, damit sie nicht weiterreden würde.

Wir gingen über die Straße und betraten einen Pfad, der sich zwischen kleinen Rasenflächen und Bäumen durchschlängelte und sich weiter oben in noch schmalere mit Kieselsteinen bedeckte Pfade verzweigte. Hier war es dunkler als am Wasser, weil der Mond nicht durch die Äste der Bäume drang, die mich ab und zu schlugen. In der Ferne erklang ein dröhnendes Geräusch.

»Etwas weiter, im Freilichttheater, ist die houseparty«, sagte der Junge, »aber ich will dir etwas zeigen.«

Wir gingen immer tiefer in den Park hinein, es war nicht ganz dunkel, Mondlicht zeigte sich gelegentlich zwischen den Bäumen und den Wolken, bis wir schließlich einen Weg hinaufgingen, immer höher, und oben auf einem Hügel standen. Unter uns lag ein Teich und, durch einen breiten Kiesweg davon getrennt, ein Musikpavillon, in dem früher Musik- und Theateraufführungen stattgefunden hatten; der Pavillon hatte ein Holzdach, das Holz war an den Seiten gesplittert und vermodert und wies nur noch vereinzelt Reste weißer Farbe auf. Die Bühne war ein gähnendes schwarzes Loch, die Seitenflächen bestanden aus einer Art Tempelsäulen, an die holzgeschnitzte Girlanden genagelt waren. Der Mond war zwischen den Wolken hervorgekommen und hing über der Kuppel wie ein weißbemalter Kopf. Der Junge kletterte auf die verwitterte kleine Treppe, die zur Bühne führte, ich blieb stehen. Er ging mit schleppenden Schritten über die Bühne, und ich erwartete jeden Augenblick, daß er das Lied vom Erlkönig singen würde, er machte schnelle Schritte auf den Brettern, dazu passende Armbewegungen, seine Füße stampften auf das alte, feuchte Holz, er ging zu großen Tanzschritten über, vorsichtig ausgeführt, als stünden überall auf der Bühne Kinder, denen er nicht wehtun oder die er nicht umstoßen wollte. Seine Haare brannten an seinem Kopf, er begleitete seine

Schritte mit peitschenden Armbewegungen. So hätte ich ihn am liebsten immer gesehen, als Jungen, der auf einem Balkon tanzte, als tanzenden und singenden Jungen, darum ging es mir, es waren die glücklichsten Augenblicke meines Lebens, Pflanze, Stein oder Tier wollte ich werden, ich streckte die Arme zu ihm empor, ich wollte ihm zuwinken, wie ich ihm von unten im Park bei unserem alten Haus auf dem Balkon zugewinkt hatte, ich wollte ihn begrüßen oder Abschied von ihm nehmen, aber erst mußte er mich gesehen haben, ich winkte ihm. Sein Gesicht drückte eine starre und verkrampfte Haltung aus, die keinen einzigen Gruß willkommen heißen würde.

»Komm mal rauf«, rief er, »komm, ich will dir etwas zeigen.«

Ich lief zu der kleinen Treppe und kletterte auf die Bühne, das Mädchen lief hinter mir her. Die Bretter unter meinen Füßen bogen sich, sie waren weich wie nasse Erde.

»Mein Vater tanzte auch gern«, sagte er, »er hat es mir beigebracht, als ich noch klein war.«

Aus dem Freilichttheater, das von hier aus nicht zu sehen war, schallte der Lärm der houseparty stets lauter herüber, es war Musik für Leute auf der Durchreise, wer ihr lauschte, erwartete immer dasselbe zu hören, es mußte dasselbe bleiben, dennoch schlüpften fast unbemerkt kleine Veränderungen zwischen den Klängen durch, die der Musik eine unerwartete Begrenztheit verliehen; dadurch war es befreiende Musik, in der nichts Musik zu sein schien und nichts an die Ewigkeit erinnerte, musiklose Musik, die mit Hilfe der Musik gemacht war, aber auch den Eindruck erweckte, ihr vorausgegangen zu sein, ohne vorausgesetztes Ziel zusammengebracht, als wären von Jungen und Mädchen mit Taschen, Walkmans und großen Rhythm-Boxen ganz zufällig Töne zusammengestellt worden. Ich streckte die Arme hoch in die Luft im Rhythmus der Musik, die nun wirklich auf uns gerichtet zu sein schien, ich bewegte die Beine, ohne mich von der Stelle zu bewegen, ich tanzte, ich war abwesend geworden, dies war schultreffenlose Musik, utopisch, klanglos, wundersam ergreifend, ich streckte meine Haut dorthin, wo sie herkam, ich tanzte, ohne meinen Körper zu bewegen. Plötzlich war es wieder still.

Der Junge beugte sich an der Rückwand des Musikpavillons zu den Brettern herunter. Das Mädchen lehnte an der Wand. Er rüttelte mit der Hand an einem der Bretter und zog es aus dem Boden. Es kam krachend hoch, bot kräftigen Widerstand, wenn er es losgelassen hätte, wäre er umgefallen.

»Festhalten«, sagte er.

Ich hielt mit dem Jungen das Brett fest, streckte mich und zog, plötzlich löste es sich ganz, es schlug gegen meine Beine. Der Junge bückte sich und holte aus dem entstandenen Loch eine Stofftasche. Er nahm mir das Brett ab und legte es schräg über das Loch im Boden. Wir setzten uns zu dritt auf den morschen Boden, die Tasche zwischen uns, meine Plastiktüte lag neben mir. Er öffnete die Tasche und legte einige Gegenstände auf den Boden: ein Stück weiße Koralle, eine große weiße Muschel, ein paar Vogelfedern, eine Büchse, eine vertrocknete Pflanze, einen dunklen Füller und ein Foto von einem Segelboot.

»Das habe ich aus Curaçao mitgebracht«, sagte er mit einer überflüssigen Geste.

»Das stimmt nicht«, sagte das Mädchen, »es lag schon bei ihm herum.«

Ihr Blick war ernst, vermutlich war sie hier schon öfter gewesen. Die Musik setzte wieder ein.

»Diese Koralle hat mein Vater mitgebracht, in dieser

Büchse sind Steine aus der Nähe von unserem ersten Haus«, sagte er.

Er hob die Muschel auf und steckte sie unter den Gürtel seiner Hose. Er zeigte wieder auf die Vogelfedern, das Foto, den Füller, die vertrocknete Pflanze. Ich hob die Büchse auf, öffnete sie und holte die Steine einen nach dem anderen heraus. Es war kalt geworden, der Mond war verschwunden, er stand unsichtbar über dem Musikpavillon. Ich nahm das Fotoalbum aus meiner Tüte. Ich legte es zu den Sachen auf dem Boden. Wir schwiegen. Der Junge weinte nicht, er hob alles auf, auch das Fotoalbum, danach steckte er alles nacheinander in die Tasche, verschloß sie und legte sie in das Loch zurück. Daß er gelogen hatte, war nicht mehr schlimm, nicht mehr wichtig, das wurde auch dem Mädchen klar, es ging längst um ganz andere Dinge, die mit der Erinnerung an seinen Vater zusammenhingen, weniger mit dem Vater selbst. Und mit der Erwartung, die mich den ganzen Tag weitergetrieben hatte, mit meinem Verlangen, heute für immer nach Curaçao zurückkehren zu können. Er stand auf, schob das Brett über das Loch und stampfte es mit den Füßen fest. Auf dem Weg zum Ausgang des Parks erzählte ich, daß ich manchmal Probleme mit tränenden Augen, verstopften Nasenlöchern hätte, daß ich manchmal das Gefühl hätte, erzählte ich, mit den Ohren zu sehen und mit den Augen zu hören. Meine Stimme klang hell in der Nacht auf.

2

Auf dem Rückweg zu dem alten Haus schwiegen wir. Wir gingen durch schnurgerade Straßen, an Fabriken und Neubauvierteln vorüber, am Fluß entlang und wieder durch schnurgerade Straßen, deren Geradläufigkeit mir auf dem Hinweg nicht aufgefallen war. Die Stadt strahlte Licht über den Häusern aus. Ich war müde und sagte laut Wörter vor mich hin: Schaufenster, sagte ich, Pflanzenreste, Kleider mit Fusseln, Stoffetzen, Steingries, Grünspucke, Speichelrest, Spinnenwucherschleim, Grabgekränktheit, Argumentationsschweiß, Reisebürogeschwätz, Mundfinger, Stoßmord, Feuerwehrschlauchfessel, Wörter, die mein Leben begleiteten und plötzlich im Rhythmus meiner Schritte etwas seltsam Beruhigendes hatten, ich keuchte, Opferschweiß, sagte ich, Fischkotze und Tiere, Fische und Tierlakritz, Wörter, die wie Nägel in meinem Gaumen verankert waren, ich würde sie auch gern einmal dem Jungen sagen, so, als hätte ich sie nicht gesagt, so ganz nebenbei, wodurch sie besonderen Nachdruck bekämen und seine Anwesenheit neben mir plötzlich verdoppeln würden, wir waren nun einmal zueinander verurteilt, schau, wollte ich sagen, schau, du bist dieser Erlkönig in dem Lied und dies ist meine Mutter, ich bin dieser Vater, und der Sohn ist die Steine, die Tiere und die Pflanzen, und ab heute reiten wir alle zusammen in den Wald.

Auf dem Weg in die Stadt passierten wir Häuser und

Boote, gingen unter Brücken durch, durch Unterführungen, ab und zu fuhr ein Auto vorbei, aber sonst war niemand auf der Straße; die Erwartungen dieses Abends schienen sich vorübergehend in den Straßen aufgelöst zu haben, der Junge neben mir sang ein leises Lied, ich trug die Schuhe des Mädchens, sie selbst lief wie ein tapferer Soldat neben mir. Und endlich erreichten wir wieder das alte Haus. Auf dem Platz brannte kein Licht, auch das Haus war dunkel.

»Ich habe keinen Schlüssel«, sagte er, »wir müssen warten, sie werden sicher bald kommen.«

Wir setzten uns direkt neben der Haustür auf den Boden, das Mädchen saß mit dem Rücken zur Tür, wir rechts und links vom Gartenweg. Hier war es vollkommen dunkel, der Mond war nicht zu sehen, weil die Häuser zu nah bei uns waren, ihre Wände saugten jedes Licht auf, aus den umstehenden Häusern kam kein Geräusch.

»Ich komm morgen noch mal vorbei«, sagte ich.

Aber warum ich vorbeikommen wollte, wußte ich nicht, ich brauchte ihn nicht mehr, er war überflüssig geworden, dem Mädchen würde ich einen Brief schreiben, in dem ich sie zu mir nach Hause einladen wollte, möchtest du bei uns übernachten, würde ich hineinschreiben, ich glaube nicht, daß meine Mutter etwas dagegen hat, sie hatte ja auch einmal eine Tochter und würde sich sehr freuen, sie wird dich willkommen heißen und mit dir beim Abwasch über früher reden, über die Zeit, als wir auf Curaçao waren, ich weiß nicht mehr so viel darüber, aber ich werde mich bei ihrer Freundin weiter informieren. Ich legte meine Hand auf die Schulter des Mädchens. Der Junge sagte nichts. Ich wagte nicht, ihm zu erzählen, daß wir morgen abreisen würden.

Dann warteten wir, es hätte mich nicht überrascht, wenn meine Mutter und ihre Freundin hier vorbeigekommen wären, sehr fröhlich, weil sie plötzlich auch zu dem alten Haus gehen wollten. War es schön, würde meine Mutter sagen, oder hättest du lieber etwas anderes angezogen, wer ist das Mädchen neben dir, sie ähnelt einem Mädchen, das ich kenne; und dann gingen wir, uns nett unterhaltend, nach Hause zurück, und zu meinem Erstaunen war es auf der Straße gar nicht so dunkel. Wir haben euch noch singen hören, bei einem Fernsehgeschäft, sagte die Freundin meiner Mutter, wir wollten euch nicht stören, hast du gesehen, daß er ganz viel Geld einsammelte, rief sie meiner Mutter zu, die uns vorauslief, ist das Theater noch abgebrannt, fragte ich, aber darauf gab sie keine Antwort, wußtest du, daß dein Freund früher eine Eule hinten im Garten hatte, in einem grünen Verschlag, erzählte sie, in der Zeitung stand was darüber, der Rücken meiner Mutter ging wiegend vor uns her, ich hatte den Eindruck, sie rede leise im Gehen. Das wußte ich nicht, sagte ich mit heller Musikstimme, offenkundig hatte ich Lust, alles zu singen, er hatte mir nichts von einer Eule erzählt, täuschst du dich da nicht, war es wirklich eine Eule, bis ich mich erinnerte, daß auf einem der Fotos im Album ein eulenartiger Vogel abgebildet war, er machte den Eindruck, als habe er gerade einen wahnsinnig guten Witz gehört, könne in dem Augenblick aber nicht darüber lachen, weil die Begräbnisfeierlichkeit, bei der er ihn gehört hatte, noch nicht ganz zu Ende war. Es war eine Eule, sagte sie, das wisse sie genau. Ich hörte ihr zu, während ich sie ansah.

Als ich hochschreckte, saß der Junge nicht mehr neben mir auf dem Gartenweg vor dem Haus, anscheinend war ich kurz eingeschlafen. Er und das Mädchen standen auf der Treppe vor der Haustür. Vor dem Haus hatte ein Auto angehalten, aus dem drei Leute ausstiegen, ein Mann und zwei Frauen. Eine der Frauen erkannte ich, es war die Tante des Jungen, sie trug einen Mantel über dem Arm, die beiden anderen hatten ihre Mäntel anbehalten. Der Junge lief ihnen entgegen, die drei gingen auf ihn zu und drückten ihn an sich mit einer Gebärde, die bereits in ihrer ganzen Haltung von vornherein angekündigt war. Das Mädchen sah zu, wie sie sich umfaßten. Sie standen beisammen und hielten sich fest, nur das Mädchen blieb von dieser Umarmung verschont. Ich hörte unterdrücktes Schluchzen, aus tiefstem Herzen und stoßweise, es kam unten aus ihren Körpern, nicht unterdrückt, sondern nach und nach lauthals und ungeniert. Der Junge weinte nicht, als sie einander losließen, weinten die drei anderen wie Schloßhunde, ich wollte auch weinen, aber es gelang mir nicht. Auch das Mädchen weinte. Das Schluchzen prallte in die Nacht und klang wie das Rufen ausgebrochener Tiere in einer verlassenen Stadt, die versuchen, sich mit ihren Stimmen zu erreichen. Langsam, schluchzend, sich ab und zu stützend, gingen sie durchs Gartentor auf mich zu, ich ging einen Schritt zurück und wartete im Garten, bis sie an mir vorbei waren und an der Haustür standen. Sie waren außerstande, etwas anderes als ihr fortwährendes Schluchzen wahrzunehmen, der Junge war ein paar Schritte zurückgeblieben und lachte mir zu, nicht jungenhaft und schamlos, eher ermutigend, als wolle er sagen, daß er heute auch schon genau wie sie geweint habe, daß es vorbeigehen würde, obwohl es nicht so aussah. Morgen stehe er wieder zur Verfügung, schien er sagen zu wollen, um dann nicht zu weinen, das war ein Teil der Verabredung, erst danach würde er mir ganz zur Verfügung stehen. Ich versuchte, mich noch weiter in den Garten des alten Hauses zurückzuziehen, aber er kam auf mich zu und zog mich an den Schultern vorwärts. Die anderen vier gingen ins Haus.

»Du hast noch was liegenlassen«, sagte er, »komm mal mit.«

Ich wußte nicht, was er meinte, ich hatte den Puzzlerahmen und den Papierflieger liegenlassen, aber mit Absicht, das Stück Holz steckte in meiner Hosentasche, das Fotoalbum war begraben, nur das Pornoheft lag noch in der Plastiktüte, ich hatte nichts liegenlassen, da war ich absolut sicher, aber ich ging doch hinter ihm ins Haus. Im Flur brannte Licht, die Leute standen im Flur und weinten immer noch. Der Krankenhausgeruch von heute nachmittag war noch nicht verflogen, wir gingen die Treppen hinauf.

Im Zimmer des Jungen war der Geruch verschwunden, er machte kein Licht, sondern ließ die Tür zum Flur offenstehen, so daß ein schwacher Lichtschein aus dem Flur ins Zimmer fiel. Ich versuchte, in das Zimmer zu schauen, in dem ich die beiden Frauen gesehen hatte, es war dunkel. Wir standen nebeneinander, alle Luft im Zimmer war verschwunden.

»Ich habe nichts liegenlassen«, sagte ich.

Er sah mich gleichgültig an, als hätte er mich noch nie gesehen, alle Erwartungen verschwanden aus meinem Körper, mir wurde klar, daß von ihm nur Stumpfsinn zu erwarten wäre, Türkenwitze, Unterhosenzoten. Plötzlich riß er mir die Plastiktüte aus der Hand, fischte das Pornoheft heraus und drückte es an seine Brust. Er wich zurück, als ich nach vorne stürmte, ich schlug mit dem Kopf an seine Brust und wir knallten beide gegen die Wand neben dem Bett, ein dumpfes Dröhnen unserer Körper war zu hören, als wir auf den Boden fielen, ich fühlte sein Gesicht über meines scheuern wie einen alten feuchten Lappen mit Speichelresten, er preßte das Heft an sich und hielt mich mit dem Arm so weit wie möglich von sich ab, ich lag halb auf ihm und drückte ihn zu

Boden, sein Atem strömte an meinen Ohren entlang, ich schlang die Arme um seinen Nacken und drückte seinen Kopf nach hinten, ein Keuchen ertönte, das mit Dampf vermischt schien, er hustete, ich spürte einen scharfen Schmerz am Bauch und schob mich nach vorn, ich erkannte die Ursache des Schmerzes, die Muschel aus dem Musikpavillon, ich drückte wie ein totes Gewicht weiter, mißmutig brummende Geräusche hingen in meinen Ohren, die Muschel lag zwischen uns, ich atmete nicht mehr, ich keuchte, aus seinem Mund kamen Speichelblasen, er drehte sich zur Seite und zog das Heft auf sich, ich schlug ihm mit meiner rechten freien Hand auf den Mund und die Augen, ich schlug und schlug, wir wurden feucht vom Schlagen, ich zitterte vor Kälte und Schweiß. Unten im Haus erklangen Stimmen. Er lag reglos unter mir, wir verhielten uns ruhig, als wollten wir nicht erwischt werden, ich atmete an seinem Mund. Ich riß mich von ihm los und stand auf, er bewegte sich immer noch nicht, die Muschel war auf den Boden geglitten und das Heft lag zerrissen und zerknittert darunter, er traute sich nicht mehr, die Lippen zu öffnen. Ich kroch auf allen vieren aus dem Zimmer und schlug die Tür zu. Noch immer erklang von unten schleppendes Geräusch, ich hörte Gläserklirren, Stimmfetzen, wirres Gerede, als wären Leute an der Tür. Hinter mir ging die Tür auf, ein schwarzer Schemen kam mit erhobenen Fäusten heraus, dem ein anschwellendes Geräusch wie aus einem vorbeiflitzenden Feuerball vorausgegangen zu sein schien, und was danach geschah, weiß ich nicht mehr, ich war betäubt und geblendet, fiel rücklings in ein tiefes Loch, wirbelnd fiel ich hinunter, an Schluchten mit Plattformen vorbei, auf denen Menschen standen, in meinem Kopf herrschte Finsternis, als wolle sich jemand mit Gewalt Zugang zu meinem Kopf verschaffen, ich fiel in den Tunnel hinein, kam aber wieder auf die Beine, machte lange Fußmärsche an atmenden Wänden entlang. Außer mir war nichts mehr zu hören, alles, was meine Sinnesorgane auffingen, befand sich in mir selbst.

Als ich zu mir kam, lag ich auf dem Rücken im Treppenflur, es war dunkel, ich war allein. Ich hatte nichts an. Ich tastete um mich, befühlte meinen Körper, der feucht von Schweiß war, wieder tastete ich um mich, und allmählich konnte ich in der Dunkelheit Schatten erkennen. Ich war nackt, meine Sachen lagen um mich herum, die Hose lag auf meinen Beinen, links von meinem Kopf die Unterhose, und als ich mich aufsetzte, entdeckte ich in einem Lichtschein, der durch das Bleiglasfenster mit der Frauendarstellung fiel, meine restlichen Kleider. Ich stand auf und zog sie an, meine Hände waren immer noch feucht von Schweiß, und auf einigen Kleidungsstükken waren dunkle Schweißflecken. Die Plastiktüte lag auf mir, es waren nur noch ein paar zerknitterte Abbildungen darin, die aus dem Pornoheft herausgerissen waren, die Tür zum Zimmer des Jungen war geschlossen, ich zog meine Schuhe an. Ich ging die Treppe hinunter, unten im Flur brannte ein Lampe, ich wollte zur Haustür gehen, aber als mir vor Kopfschmerzen schwindlig wurde, setzte ich mich im Flur auf den Boden, ich begann wieder zu fallen.

Ich hörte Stimmengewirr am Ende eines Flurs, hinter der Tür, in der heute nachmittag die Tante des Jungen verschwunden war. Ich öffnete die Tür und ging hinein. In der Mitte des Zimmers stand ein großer länglicher Tisch mit einem schwarzen Sarg darauf, aus dem mattes Licht strömte, das sich über die Gesichter der Anwesenden verteilte, als würde es jemand darauf kleben. Im Zimmer standen noch ein paar Tische mit Stühlen, auf denen Kissen lagen, auf den Tischplatten glitzerten Gläser und Flaschen. Stimmen erfüllten das Zimmer, dröhnendes Gerede von Menschen, die nicht die Absicht hatten, je mit reden aufzuhören, selbst unterdrücktes Lachen war zu hören und drängelndes Geflüster, das aus den Wänden zu kommen schien. Bei dem schwarzen Sarg stand der Junge mit dem Rücken zum Sarg, er schien ganz langsam zu dem Sarg vorzurücken, auf seinem Gesicht lag ein gleichgültiger Blick, es war dunkler als die anderen Gesichter, als würde das schwache Licht ihn nicht erreichen. Allmählich konnte ich die im Zimmer Anwesenden erkennen, an einem Tisch links saß meine Mutter, sie trug noch ihr Schultreffenkleid, sie winkte mir kurz, freudig überrascht, als habe sie mich schon viel früher erwartet, neben ihr saß einer der Trompeter vom Orchester, der ihr Handgelenk umfaßte. Sie unterhielten sich, ohne daß ich ihre Stimmen von den anderen unterscheiden konnte. Am selben Tisch saß die Tante des Erljungen, ihr Gesicht war von schwarzen Linien zerfurcht. Knapp vor mir an einem Tisch, auf dem ein Sektkühler stand, saß die Freundin meiner Mutter, sie hatte den Kopf auf den Tisch gelegt und schlief, das Tanzmädchen saß neben ihr und redete mit einem der Jungen, die auf dem Weg zur houseparty gewesen waren. Die anderen Jungen lehnten an einer der dunklen Wände. Das Mädchen war so ernst, wie ich sie noch nie gesehen hatte, sie war ganz und gar Mädchen geworden, war viel jünger, sie war erleichtert, weil sie mich unter den Anwesenden entdeckt hatte, und diese Erleichterung schien sich ihrem ganzen Körper mitzuteilen, sie tauschte Vertraulichkeiten mit dem glatzköpfigen Jungen aus, er klopfte immer mit einem Finger auf den Tisch, als wolle er so seine Darlegung unterstreichen. An einem anderen Tisch saßen Leute, die ich im Theater getroffen hatte, der glattrasierte Mann, der Mann mit dem Mantel überm Arm, und die

Frau mit dem Fahrrad, sie unterhielten sich und befanden sich schon lange in einem Stadium gewaltiger, kaum noch zu unterdrückender Fröhlichkeit, wagten aber noch nicht, laut zu lachen, jemand müßte das Zeichen dazu geben. Die zwei Frauen, die sich gegenseitig geschminkt hatten, saßen sich an einem dunklen Tisch gegenüber, sie trugen Jeans und lange schwarze Pullover. Passanten, die ich auf der Straße gesehen hatte, waren da, der Mann, mit dem ich mich vor dem Fernsehgeschäft unterhalten hatte, der Mann und die Frau, die ich im Vorderzimmer ihres Hauses hatte stehen sehen, das weinende Mädchen, das dem Erljungen ein Geldstück gegeben hatte, einige andere Zuschauer beim Singen, und immer mehr Menschen kamen herein. Das Stimmengewirr verstummte nicht, die Tante des Jungen ging mit Tabletts im Zimmer hin und her, wobei sie sich immer zu ihren Gästen vorbeugte. Ich ging langsam auf den Sarg zu, um zu sehen, was darin zu sehen war, die Tante des Jungen kam und stellte sich zu mir.

»Ihr seid spät«, sagte sie, »wir haben schon mal angefangen.«

Ihre Stimme klang nicht böse, höchstens gottergeben, weil sie schon vorher gewußt hatte, daß wir zu spät kommen würden und sogar enttäuscht wäre, wenn wir rechtzeitig gekommen wären.

»Ich habe das Fotoalbum wieder zurückgegeben«, sagte ich, »Ihr Neffe hat es zu den anderen Sachen im Musikpavillon gelegt, wir haben zu Hause schon genug Fotobücher über Curaçao, in dem Album waren keine besonderen Fotos mehr.«

Ich wollte fragen, wer in dem Sarg lag, traute mich aber nicht, ich blieb stehen, wo ich stand, wohl hatte ich meinen Körper schon zum Sarg hingedreht, aber noch nicht ganz, ich ließ meine Absicht im Zweifel, ich war jemand, der genauso gut links oder rechts vor dem Sarg abbiegen könnte. Die ganze Zusammenkunft strahlte Ruhe und Würde aus, man hatte mit längeren Heulszenen gerechnet, durchdringendem Gestank des Aufgebahrten und langen, von Schluchzen und Lachen unterbrochenen Reden einiger Anwesenden, aber so schlimm war es nicht, schade, daß keine Musik gespielt wurde, dann wäre das Gerede nicht so beherrschend gewesen. Ich ging links am Sarg vorüber, ohne hineinzuschauen, zur Rückseite des Zimmers und stellte mich an die Wand, meine Mutter saß noch immer mit dem Trompeter am Tisch, der Junge war verschwunden, erst jetzt sah ich, daß an ihrem Tisch auch einer der Männer saß, mit dem sie heute abend durch die Stadt gegangen war. Ich zokkelte langsam nach vorn zum Sarg, wieder wagte ich nicht hineinzuschauen, ich ging daran vorbei und landete bei der Tür, durch die ich hereingekommen war. Jetzt stand ich am Tisch, an dem die beiden Frauen saßen. Auf der anderen Seite des Zimmers löste sich der Mann, mit dem ich vor dem Fernsehgeschäft geredet hatte, aus der Gruppe sich lebhaft unterhaltender Leute, er hatte eine Plastiktüte in der Hand, ging zum Sarg und legte die Tüte auf einen Tisch daneben, ich sah, daß da schon andere Dinge lagen.

»Ich habe nichts dabei«, sagte ich, »haben Sie schon etwas hingelegt?«

Das sagte ich zu den Frauen am Tisch vor mir.

»Wir hatten auch nichts«, sagte eine der Frauen.

Sie zeigte mit gestreckten Armen zum Sarg, ihr nackter Unterarm zitterte, der Arm war so glatt wie Wachs, vollkommen glattrasiert und mit Bimsstein noch glatter gemacht, nur obendrauf wuchsen winzigkleine, flaumige Härchen, die ich nur sah, wenn ich die Augen zusammenkniff. Die im Zimmer Anwesenden neigten die Köpfe vertraulich zueinander, als wollten sie den Moment, in dem ich in den Sarg sehen würde, lieber nicht miterleben, einige gingen an andere Tische und stellten sich dort gegenseitig vor, ihre Namen gingen im Gerede unter. Es war dunkler im Zimmer, jemand dämpfte das Licht immer mehr. Alle schienen den Sarg im Zimmer zu meiden, es lohnte sich nicht, hineinzuschauen, man hatte schon ganz oft hineingeschaut und wartete vermutlich gelassen, bis die Zusammenkunft beendet wäre.

»Du hast Flecken im Gesicht.«

Neben mir stand das Tanzmädchen. Sie befeuchtete ihre Hand, strich mit ihr über meine rechte Wange und schaute, was auf ihrer Hand zu sehen war. Ich fuhr mir übers Gesicht und fühlte einen krustigen Fleck auf der Wange.

»Es ist Blut, glaube ich«, sagte sie.

»Ich bin hingefallen«, sagte ich, »irgendwo bei der Haustür.«

Sie holte aus einer Tasche ihres Kleides ein Taschentuch und befeuchtete es mit der Zunge. Dann wischte sie mir das Gesicht damit ab.

»Ist nicht schlimm«, sagte sie, »ist schon weg.«

»Ich geh gleich wieder«, sagte ich.

Ihr Atem berührte mein Gesicht, sie streichelte meine Wange, ich schlang meinen Arm um ihre Taille und drückte sie an mich, dann ließ ich sie los. Mit der größten Kraftanspannung ging ich nach vorne, bis ich in den Sarg schauen konnte, ein etwa fünfzehn- oder sechzehnjähriges Mädchen lag darin, sie trug ein blaues Kleid, das bis zum Fußende des Sargs ausgebreitet war, ihre Hände lagen auf ihrer Brust, waren aber nicht gefaltet, von ihrem Körper waren nur Kopf und Hände zu sehen, sie hatte hellblondes Haar, das um ihren Kopf drapiert war, links neben ihrem Kopf lagen zwei Bücher, deren Titel ich nicht erkennen konnte, vielleicht hatte sie einer der Besucher hingelegt. Das Mädchen lächelte verständnisvoll, als sie noch lebte, waren ihre Lippen voller gewesen, sie war hier aufgebahrt, um einem netten Abend Glanz zu verleihen, an nichts war zu sehen, daß sie tot war, sie war das Kind eines hier Anwesenden, das einmal im Jahr während eines Schultreffens bei Leuten zuhause in einem Sarg liegen mußte, gleich würde man Beifall klatschen, die Stimmung war keineswegs traurig. Ich beugte mich über den schwacherleuchteten Sarg und wollte das Mädchen anfassen, im Zimmer war es jetzt so dunkel, daß ich fast nichts mehr sehen konnte, die Feierlichkeit könnte jeden Moment beginnen. Ich wartete, bis mich jemand wegführen würde.

3

Als ich nach Hause kam, war es halbzwei. Ich hielt die fast leere Plastiktüte in der rechten Hand. Meine Augen brannten, auf dem ganzen Nachhauseweg war ich nur gerannt, ich war mit weit aufgerissenen Augen unter den Bäumen durch über den Platz gerannt, ich war im Flur unseres alten Hauses wie aus einem wirren Traum erwacht, schreckhaft, als könnte ich jeden Moment angehalten werden, ich rannte am Theater und am Fluß entlang, rannte die Stufen zur Brücke hoch, ab und zu wischte ich mir über das Gesicht. Die Altstadt lag hinter mir im dunkeln, der Mond war über den Wolken verschwunden, ich rannte wie ein Besessener das letzte Stück nach Hause weiter, blickte mich immer um, erwartete jeden Augenblick die Schritte des Jungen hinter mir. Ich erinnerte mich nicht mehr, wie ich das alte Haus verlassen hatte, ich war im dunklen Flur aufgestanden, schwankend und schwindlig, jemand war an mir vorbeigelaufen und hatte mir zugenickt, es war eine Frau gewesen, aber ich hatte sie nicht erkannt.

Zu Hause ließ ich alle Lichter aus und ging im Dunkeln die Treppe hinauf, verängstigt, getrieben, in meinem Zimmer zog ich mich aus, ich öffnete die Plastiktüte und legte die zerknitterten Seiten unter den Nachttisch neben meinem Bett, erst jetzt entdeckte ich, daß auch Geld in der Tüte war, das wir beim Erlköniglied von den Zuschauern bekommen hatten. Das Fotoalbum war für immer weg, alle Spuren waren ausgewischt, vielleicht würde man es erst in vielen Jahren entdecken, wenn der Musikpavillon restauriert wurde, die Reste kämen ins Gemeindearchiv und würden dort jahrelang untersucht werden, da steht ein Name drin, würde man sagen, und der ist wieder durchgestrichen und später doch wieder hingeschrieben worden, würde ein anderer sagen, man würde die Fotos in Archivschränken aufbewahren, das leere Album auf einem Flohmarkt für fünf Gulden verkaufen. Was hatte mir der Junge sonst noch gegeben? Hatte ich das auch unter das Brett auf der Bühne gelegt? Ich wußte es nicht mehr, das Puzzle und den Papierflieger hatte ich in unserem alten Haus liegenlassen, das geschnitzte Stück Holz war in meiner Hosentasche, es waren unwichtige Dinge, die der Leiter des Archivs absolut nicht der Mühe wert gefunden hätte, und den Rest wußte ich nicht mehr, er war meiner Erinnerung entfallen, ich zählte einige Dinge auf, Wörter aus dem Erlköniglied, ich sagte sie im Dunkeln vor mich hin, aber alles löste sich auf, ich wollte selbst verschwinden. Der Junge mit den weißen Haaren, dachte ich, hatte sich nicht anders verhalten als jeder Freund, einladend und zurückweisend zugleich, ängstlich und froh, er war unglücklich gewesen und hatte geweint, wir hatten unsere Lippen betastet, bei ihm hatte das nichts mit Curaçao zu tun gehabt, obwohl er mir das weismachen wollte, von Curaçao hatte ihm höchstens sein Vater einmal etwas erzählt, aber der war jetzt tot. Ich hatte ihm das Fotoalbum gegeben, um mich selbst zu retten, um endlich meinen Erwartungen zu entsprechen, wie ein Opfer in einem düsteren Ritual, dessen Bedeutung ich erst viel später begreifen würde. Ich war heute ein erwartungsvoller Junge gewesen, das war alles, ich hatte alles erwartet, alles, von der Altstadt, von meinen Füßen, von den Schaufenstern, vom

Schreien meiner Mutter, von ihrer Freundin, von unserem alten Haus und von dem Licht, das nachts in der Stadt hochgeworfen wurde. Ich lag mit offenen Augen im Bett.

Als ich aufwachte, hörte ich von unten laute Musik, die manchmal von lautem Lachen und brummendem Reden überstimmt wurde. Die Musik hatte mich geweckt, sie war in meine Ohren gedrungen und hatte mir einen Traum gebracht, in dem Leute in einem Musikpavillon musizierten, ich konnte nicht sehen, wer sie waren, dann war ich langsam wach geworden. Ich lag im Bett und lauschte, ich brummte die Töne der singenden Stimme mit, die von Trommeln vorangetrieben wurde, angetrieben, so schamlos wie Matrosen in einem fremden Hafen, eine kratzende, glucksende Stimme wiederholte immer die gleichen Wörter. Die Musik war nicht teilnahmslos, sondern debattierend, verlockend, sie bezog sich selbst in das Geräusch mit ein, hier waren Musik und Stimme ein Aufruf, schmerzlich und verzweifelt, in einer Sprache, die ich nicht verstand. Die Musik wurde von einer anderen abgelöst, die ich seit Jahren kannte, populäre Musik, die etwa zwanzig Jahre oder noch älter war und die meine Mutter immer hörte, wenn sie sentimental gestimmt war. Diese Musik erinnerte sie an eine Zeit in ihrem Leben, die sie zusammen mit anderen jungen Leuten, die sich wie sie mit der Befreiung des Menschen beschäftigten, hauptsächlich auf der Straße verbracht hatte. Ich selbst hatte manchmal stellvertretende Alpträume über diese Zeit, nicht nur, weil ich mich gegen Befreiung im allgemeinen in Schutz nehmen wollte, ich hoffte sogar, nie befreit zu werden, nie, aber auch, weil mir wenig Argumente einfielen, um die ständige Sehnsucht nach dieser Zeit zu rechtfertigen, ich hoffte manchmal, daß meine Mutter, wenn sie zu oft über diese Zeit sprach,

Atemwegsprobleme bekäme. Es war eine Zeit gewesen, die sehr gut zu dieser lauten Musik paßte, die sich kaum von dem unterschied, was das Lied vom Häuschen am Meer ausdrücken wollte. Ich hatte nie in dieser Zeit leben wollen, vor allem, weil meine Mutter so oft darauf zurückkam und ihr selbst die Worte fehlten, es war so schön gewesen, niemand sei einsam gewesen, sagte sie, jeder war solidarisch, das war doch ein kleiner Nachteil, rief ich dann im Vorderzimmer. Es gab nicht genug Wörter und Bilder, um diese Zeit zu beschreiben, obwohl die Zeitungen fast wöchentlich diverse träumerische Artikel darüber schrieben, die meine Mutter dazu brachten, wieder ein paar Abende dieser Musik voller Selbstmitleid zu lauschen.

Jetzt erst hörte ich, daß noch jemand im Zimmer war, zwischen der hohen schrillen Stimme meiner Mutter und der ihrer Freundin klang eine tiefe Baßstimme, die etwas Beruhigendes hatte, als würde sie immer erklären, die Musik sei doch gar nicht so schlecht.

Ich fuhr hoch. Wo war das Fotoalbum? Doch jetzt wußte ich es wieder. Die rote Glut einer niederschmetternden Scham schob sich über meinen Körper, piekste in meine Haut und ließ Angstschweiß über mein Gesicht strömen. Ich knipste eine Lampe über dem Bett an und betrachtete das Bild der Männer beim Zelt. Der bärtige schlafende Mann war kurz aufgewacht, er war in den gähnenden Raum gelaufen und dann wieder zurückgegangen, um zu schlafen. Nichts zu sehen, hatte er zu den anderen gesagt. Der Mann im weißen Mantel und mit der Mütze betrachtete mich mit leicht hängenden Mundwinkeln noch nachdenklicher als vorher, als wolle er sagen, ich solle das Fotoalbum lieber wieder im Musikpavillon abholen. Ich habe noch ein paar Fotos aus dem Pornoheft, wollte ich sagen, merkte aber, daß es besser war, den

Mund zu halten. Oben auf dem Bild schwebte ein Engel mit erhobenem Zeigefinger vom Himmel herab, er wies genau auf den Kopf des schlafenden Mannes.

Ich stand auf und zog den Morgenmantel an, der beim Bücherschrank auf dem Boden lag. Auf dem Nachttisch lagen Geld und ein paar Kärtchen. Auf dem Boden neben dem Bett lagen drei Fotos aus dem Album, offensichtlich waren sie herausgefallen, als ich das Album heute abend mit nach unten genommen hatte. Ein kleiner Junge saß auf einer verwitterten Mauer, in der Ferne breitete sich die Landschaft Curaçaos aus, es war ein Farbfoto, aber die Farben waren verblaßt, flossen ineinander. Wer hatte das Foto gemacht? Von wem waren die Kleider, die der kleine Junge anhatte? Ich würde die Freundin meiner Mutter fragen, ihr Lachen drang von unten zu mir herauf. Auf dem zweiten Foto war ich mit der Freundin meiner Mutter neben einem schwarzen Auto zu sehen, auf dem dritten war ein weißer Grabstein, auf dem nur ein Name und ein Datum stand. Ich legte die Fotos unters Kopfkissen.

Das Gelächter von unten wurde lauter und lauter, sie hatten offensichtlich noch ein anderes Fotoalbum aus einem Schrank geholt, eines über ihre eigene Jugend in der Altstadt, und sich nun, voll wie die Haubitzen, darübergebeugt. Schau, das bist du, weißt du noch, bei einer Theateraufführung, ich war damals die Frau des Hauses und mein Mann hatte ein Verhältnis mit einem Dienstmädchen, das sich später als eine Gräfin entpuppte, und das bin ich auf dem Fahrrad, und die Freundin meiner Mutter, die der männliche Besucher an der Taille festhielt, sich schamlos an ihrem Körper reibend, schrie vor Vergnügen, sie hatte gerade ihren Mann auf einem anderen Foto gesehen, ihn, der sie Jahre später verlassen sollte. Wegen einer Sekretärin, brüllte sie, zum Kaputtlachen, findet ihr nicht auch, und meine Mutter stimmte ihr zu, sie hatte es ihrer Freundin schon jahrelang sagen wollen, aber endlich, jetzt wo ein anderer dabei war, jetzt wo alle besoffen waren, jetzt konnte sie es sagen, ich habe deinen Mann mal geblasen, rief sie, nach einer Wochenendwanderung, du warst damals unten auf dem Sofa eingeschlafen.

Ich knipste das Licht in meinem Zimmer wieder aus, draußen wurde es schon wieder etwas heller, ich ging ans Fenster und schaute hinaus. Das Mondlicht hing wie ein Schirm über den Gärten hinter dem Haus. Ich drehte mich um und wollte nach unten gehen. Meine Kleider waren im Zimmer verstreut, Unterhose, Hemd, Schuhe, Oberhemd, Socken, Hose. Auf dem Oberhemd waren dunkle Blutflecken. Ich ging nach unten.

Im Eßzimmer befanden sich meine Mutter und ihre Freundin und ein Mann, der mit einem Stapel Bücher in der Hand beim Bücherschrank zwischen den Kletterpflanzen stand. Meine Mutter rauchte eine Zigarette. Sie stand dicht neben dem Mann und lehnte sich an den Bücherschrank. Als ich hereinkam, rückte sie von ihm weg zum Tisch, auf dem Flaschen, Gläser, Aschenbecher, Füller, Zigaretten und Feuerzeuge standen und lagen. Tabaksqualm und Alkoholdunst hingen im Zimmer. Der Mann war groß und schwarz, er hatte ein schwarzes Bärtchen, das an den Spitzen silberweiß war, mit ihm hatte meine Mutter getanzt. Er trug ein dunkelfarbenes Jackett und eine dunkle Hose, sein Gesicht war erst hinter dem Stapel Bücher versteckt gewesen, den er auf den Boden beim Bücherschrank stellte, eine Handlung, die er benutzte, um seine Verlegenheit über meine Anwesenheit in die richtige Bahn zu lenken, er stapelte die Bücher übertrieben sorgfältig. Die Freundin meiner Mutter saß im Lehnstuhl beim Fernseher und hatte die Beine über die Lehne geschlagen, ihr Gesicht war blaß von Alkohol und Müdigkeit, aber in ihren Augen, die von zerlaufenen schwarzen Flecken umringt waren, funkelte Aufmerksamkeit. Meine Mutter sah mich an, als stünde ich zehn Meter von ihr entfernt und wäre jemand, den sie vorgestern zufällig getroffen hatte, der schwarze Mann rief seinen Namen und hielt dabei den Kopf leicht schief, als wolle er selbst seinen Namen noch einmal hören, bevor er meine Ohren erreichte.

»Er nimmt alle Bücher mit«, sagte meine Mutter über die Musik hinweg.

»Nimm das Zeug ruhig mit«, rief ihre Freundin.

Sie lachten alle drei, offenkundig hatten sie sich schon eine Zeitlang unterhalten, ich hatte sie nicht nach Hause kommen hören, der Mann fühlte sich wohl in seiner Haut, sie hatten ihn über alles informiert, es bestand eine große Vertrautheit zwischen ihnen, sie hatten sich aus den Augen verloren, weil der Mann nach Curaçao zurückkehrte, und beim Schultreffen waren sie sich endlich wieder begegnet.

»Er kommt aus Curaçao«, sagte meine Mutter.

Sie hatte sich vor den Mann gestellt, der wieder bei den Kletterpflanzen stand, sie wollte ihn dem Blick entziehen.

»Er ging mit uns in die Schule«, fuhr sie fort.

Sie versuchte, nicht nur seine Anwesenheit, sondern auch ihre eigene zu entschuldigen, es war, als sei sie sich der Anwesenheit des Mannes noch nicht ganz bewußt, sie trippelte ein paar Schritte zurück und stellte sich vor ihn, er umarmte sie nicht.

»Heute mittag sprachen wir noch über Curaçao«, rief ihre Freundin.

»Ich bin wach geworden«, sagte ich, aber das ging im Lärm der Musik unter.

Meine Mutter stellte die Musik leiser, sie blieb vor dem Mann stehen, der so nichtssagend wie möglich dreinsah, als wolle er sich am liebsten in Luft auflösen, er suchte Hilfe im Zimmer, mein Gesicht fliegt fast weg, wollte er sagen, dennoch zeigte es ein verlegenes Lächeln, das er festhalten wollte, so lange ich im Zimmer war. Er war heute abend nicht imstande, seinem Gesicht einen anderen Ausdruck zu geben, nicht weil er das nicht konnte, daran zweifelte ich nicht, sondern weil jeder andere Ausdruck an diesem Abend in zu großem Widerspruch zu der Schalkhaftigkeit stehen würde, mit der er den Abend aus Verlegenheit begonnen hatte und die meine Mutter sehr rührend fand, sie stellte sich noch näher zu ihm, es konnte Tage dauern, bevor sie schreien würde.

»Du hast schwarze Striche im Gesicht«, sagte meine Mutter.

Ich hob die rechte Hand an mein Gesicht.

»Ich hatte Nasenbluten«, sagte ich, »wir waren noch in der Nähe des Theaters, ich habe Sirenen gehört, hat es gebrannt oder so?«

»Wir haben nichts bemerkt«, sagte meine Mutter.

Ich wußte nicht, wo ich stehen oder sitzen sollte, ich konnte kein Wort herausbringen, ich wußte auch nicht, ob sich der Mann mir aufdrängen, mir vertrauliche Fragen über meine Zeit auf Curaçao stellen wollte, wie ich darauf reagieren würde, sein schwarzes Gesicht war vom vielen Schauen versengt, es hatte Furchen, die von den Mundwinkeln zum Hals führten.

Die Freundin meiner Mutter hatte sich nach meinem Eintreten fast nicht mehr bewegt, sie hatte mir ihr Gesicht einen Moment zugewandt, etwas gerufen, sie konnte fast kein Wort herausbringen, als schäme sie sich für mich, wie Leute sich schämen können für Dinge, Steine, Pflanzen oder Tiere, die ihnen zuerst nicht aufgefallen waren, die aber ohne nachweisbare Gründe eine große Rolle spielten, weil sie eine Begegnung oder ein Gespräch in ein ganz anderes Licht rückten.

Ich setzte mich an den Tisch und schenkte mir ein Glas Wein ein. Meine Mutter legte eine Hand auf die Schulter des Mannes, er nahm Bücher aus dem Schrank und betrachtete sie, stellte sie wieder hinein, meist auf einen anderen Platz als den, wo er sie herausgeholt hatte. Meine Mutter stellte die Musik wieder lauter, ich trank einen Schluck Wein.

»Ich bin wach geworden«, rief ich der Freundin meiner Mutter zu, »war es schön?«

»Viele alte Bekannte«, sagte sie, »es war sehr schön.«

Sie kroch aus ihrem Sessel und setzte sich zu mir.

»Weißt du, wer das ist?« sagte sie.

Sie zeigte auf den schwarzen Mann und meine Mutter.

»Das ist der allererste Freund deiner Mutter«, sagte sie, »sie war ungefähr sechzehn, lange bevor sie nach Curaçao ging, er ging in unsere Schule.«

Sie sah mich an.

»Auf Curaçao hat sie ihn nie gesehen, damals war er gerade in Holland«, sagte sie.

»Waren auch alte Bekannte von dir da?« fragte ich, aber bevor ich den Satz beendet hatte, machte ich ihn schon unverständlich.

»Was hast du gesagt?« sagte sie.

»Ich war heute abend bei einem Freund in unserem alten Haus«, sagte ich, »er hatte ein altes Fotoalbum, offensichtlich haben wir es damals vergessen, er zeigte es mir, er hat es mir geschenkt, aber dann wollte er es doch wieder haben.«

»Was sagst du?« rief meine Mutter.

Sie stand knallrot neben dem Mann, bereit, mir einen endlosen Wortschwall entgegenzuschleudern, sie hielt den Mann an einer Schulter fest, als könne sie jeden Moment umfallen.

»Ich war noch beim Theater«, rief ich, »der Freund war nicht zu Hause, ich bin wach geworden.«

Ich schenkte wieder ein Glas Wein ein, die Freundin meiner Mutter nahm sich auch eines. Wir saßen nah zusammen, es war, als nehme sie mich für immer in sich auf, ihre nackte Schulter berührte meine, die Blume in ihrem Haar war verschwunden, Blut stieg mir in die Wangen, ich hatte sie ins Vertrauen gezogen, und sie schenkte mir ihrerseits Vertrauen, meine Geschichte über den Besuch in unserem alten Haus hatte sie von ihrer ganzen Scham über sich und mich erlöst. Sie erinnerte sich wieder an alles, genau wie ich.

»Heute abend ist etwas sehr Komisches passiert«, sagte ich leise.

Sie legte die Hände vor sich auf den Tisch.

»Ich bin mit einem Jungen in die Stadt gegangen, ich kannte ihn von früher, plötzlich fing er mitten in der Stadt an, ein deutsches Lied zu singen, über einen Erlkönig.«

»›Der Erlkönig‹ von Goethe«, sagte sie.

»Ich kenne es fast auswendig«, sagte ich, »er hat es ein paarmal gesungen.«

Meine Mutter legte ihren Kopf auf die Schulter des Mannes, der ihr etwas ins Ohr flüsterte. Sie achtete nicht auf uns. Die Freundin meiner Mutter fing leise mit der verzweifelten Melodie an, sie sang mit wiegendem Oberkörper. Wie sie auf Curaçao für mich gesungen hatte.

»Wie ging die letzte Strophe?«, sagte ich.

Sie deklamierte die Wörter sehr nachdrücklich, als müsse ich sie später auswendig lernen. Ihr Gesicht war rot von dem Licht im Zimmer:

»Dem Vater grauset's; er reitet geschwind,
Er hält in den Armen das ächzende Kind,
Erreicht den Hof mit Mühe und Not;
In seinen Armen das Kind war tot.«

»Was erzählst du da«, rief meine Mutter, »um was geht es?«

Sie ging zum Tisch und setzte sich zu uns, der Mann zögerte, blieb aber stehen. Ich schenkte mir noch ein Glas Wein ein. Auch sie schenkten sich ein und tranken einen Schluck. Ich schwieg, ihre Freundin schob die Hände unter den Tisch.

»Auf Curaçao gehen wir immer tanzen«, sagte der Mann, »wenn ein Fest ist, wird getanzt, auch wenn man nur zu zweit oder zu dritt ist, auf Curaçao hätten wir schon längst miteinander getanzt, aber hier sehen wir uns nur an.«

Nun lachte er schallend, als fände er es auch eine traurige Geschichte, die er aber doch erzählen wollte, weil man auf Curaçao tatsächlich so darüber dachte.

»Ich habe gehört, daß es auf Curaçao viele Schildkröten und Eulen gibt«, sagte ich.

»Schildkröten wohl«, sagte er, »jedenfalls früher, heute nicht mehr, früher wurden sie dort gezüchtet, ich bin einmal mit meiner Mutter in so einem Betrieb gewesen. Da standen so eine Art großer Betonbecken, sehr groß, größer als dieses Zimmer, und da schwammen Schildkröten herum, es stank dort entsetzlich.«

Sein Blick wurde nachdenklich, als sähe er sich wieder mit seiner Mutter auf der Insel, er hatte einen kleinen Stock in der Hand, mit dem er ab und zu auf den Asphalt schlug. Seine Mutter hatte einen verbissenen Zug um den Mund, ein starker Wind ging, der ihr das dünne Kleid um die Beine wehte.

»Sind Sie dort geboren?« fragte ich.

Der Schalk war aus seinen Augen verschwunden, er versuchte erneut, sich genau wie ich ein Bild von Curaçao zu machen, obwohl er es lieber nicht wollte, er hatte es schon Jahre nicht mehr getan, aber nun mußte es zum erstenmal in seinem Leben ein mutterloses Bild sein, etwas, was er sich noch nie vor Augen hatte zaubern können, so daß er am liebsten nie mehr an die Insel dachte, er hatte die Insel vergessen, an ihre Stelle war Verzweiflung getreten, die sich in unzuverlässigen, von anderen gehörten Geschichten über Schildkrötenzüchter ausdrückte. Ich hatte auch auf Curaçao gewohnt, war dort ein paar Jahre ein Kind gewesen, das wurmte ihn besonders, auch meine Mutter und ihre Freundin, tausende Menschen aus Holland waren dort gewesen, zuviel, um sie aufzuzählen, allen voran die Königin, das Problem war, daß er im Hinblick auf Curaçao keine einzige Erwartung mehr hatte, während ich dafür einen halben Tag und eine Nacht unter Leitung eines weißgefärbten Jungen herumgeirrt war. Bei mir war es eine Erwartung gewesen, eine Hoffnung, bei ihm eine Insel, die in der Nacht versunken war.

»Ich bin dort geboren«, sagte er.

4

Die Gespräche waren zu Haltungen geworden, die im Zimmer herumirrten, unglückliche Bewegungen von Lippen und Armen, meine Mutter erzählte etwas von früher, der Mann hörte zu, ihre Freundin schwieg, und ich saß am Tisch und wartete, bis die Geräusche verstummen würden. Ich erschrak, die Freundin meiner Mutter hatte mich angestoßen, das Geräusch im Zimmer war schwächer geworden, ich nahm wieder ein Glas Wein. Es war fast dunkel, nur über dem Fernseher brannte eine Lampe. Der Mann, er hat sich doch zu uns gesetzt, und meine Mutter redeten leise, sie streichelte seine schwarze Hand, über dem Haus kreischten Tausende Möwen, die Freundin meiner Mutter rieb ihre Schulter ab und zu an meiner, sie senkte den Kopf und rauchte eine Zigarette.

»Ich habe oben in einer Kiste noch mehr Sachen aus Curaçao«, flüsterte sie, »alles mitgebracht.«

Sie trank einen Schluck Wein.

»Ich war heute nachmittag auf dem Dachboden«, flüsterte ich, »ich habe in die Kiste geschaut. Da stehen auch eine Menge Bücher. Sind die alle von deinem Mann? Man sollte ein gewisses System hineinbringen, jetzt steht alles durcheinander.«

»Worüber redet ihr?«, sagte meine Mutter.

»Über das System im Bücherschrank«, sagte ich, »nach welchem System sind sie geordnet, es muß klar sein, von wem die Bücher in einem Zimmer sind.«

»Ich verstehe das System hier auch nicht«, sagte der Mann, »in dem Schrank steht alles mögliche, von Christie bis Schiller, aber von dem System verstehe ich nichts.«

»Es hat sich so ergeben«, sagte die Freundin meiner Mutter, »wir haben sie einfach hineingestellt, es war mir eigentlich egal.«

Der Mann stand auf und nahm ein Buch von dem Stapel auf dem Boden, es hatte einen roten Einband, er legte es in seine Hand, als wolle er es wiegen.

»Ich war heute abend mit einem Jungen in der Altstadt«, sagte ich, »wir sind fast durch die ganze Stadt gelaufen.«

Niemand reagierte, man hörte einander nicht mehr zu, lauschte nur noch der Musik, die so dahinplätscherte wie kleine Wellen, die an einem schönen Tag kraftlos auf den Strand fallen. Ich verließ das Zimmer und ging auf den Flur, an der Tür drehte ich mich um.

»Ich gehe ins Bett«, sagte ich.

Im Flur war es dunkel, ich war mutlos vor Müdigkeit, eine Trägheit war in meine Glieder gefahren, die ich heute noch nicht erlebt hatte, als läge ich im Sterben und nähme Abschied von meinem Körper. Im Bett lag ich auf dem Rücken, ich versuchte, meine Gedanken zu verlangsamen und auf das Fotoalbum zu lenken, von dem ich definitiv Abschied genommen hatte, unweigerlich, denn man hatte es mir weggenommen, aus den Händen gerissen, aber ich bedauerte es nicht, ich brauchte nicht länger daran zu zweifeln, ich hatte es gesehen, wie beschmiert es auch war. Jemand, meine Mutter, hatte mit Bleistiftstrichen ihr eigenes Gesicht zerkratzt, ihre Freundin hatte mich mit halb abgewandtem Gesicht angesehen, genau wie ich im Bann einer Erwartung, die wie eine Krankheit die Stadt befallen hatte. Komm zu mir, wollte sie sagen, wie früher auf Curaçao, als sie für mich gesungen hatte und ich bei ihr im Bett schlafen durfte. Und auf dem Balkon hatte mich die Tante des Jungen angesehen, ich bin die Tante des singenden Jungen, nicht seine Mutter, du kannst ruhig wieder zu uns kommen, ich sorge dafür, daß alle da sind, viele Jungen wie du besuchen uns, du warst heute schon der dritte, das macht uns zwar viel Arbeit, aber wir rechnen weiterhin mit dir.

Ich war offensichtlich kurz eingenickt und dann wieder hochgeschreckt. Mein Kopf lag auf den Fotos, die ich unters Kissen gelegt hatte, das Kissen lag auf dem Boden, ich drehte mich auf den Rücken und öffnete die Augen. Im Zimmer war es halb dunkel, als sei der Mond ins Innere des Hauses vorgedrungen. Ich war in einer Hitzewelle aufgewacht, Schweiß lief mir am Körper herunter auf das Laken. Es war nur die Brandung, das Meer, morgen gehe ich nicht, dachte ich.

Die Freundin meiner Mutter kam ins Zimmer, vielleicht hatte sie mich schon stundenlang von der Tür aus beobachtet, wie ich mich ruhelos im Bett herumgewälzt und meinen nackten Körper gestreichelt habe. Sie trug ein langes weißes Hemd bis über die Schenkel und, wie eine Tennisspielerin, ein weißes Stirnband. Ihr Gesicht war im schwachen Licht nicht formlos, es strahlte noch immer die Glut aus, die es den ganzen Tag schon ausgestrahlt hatte, auch als ich sie in der Einkaufsstraße grüßen wollte. Als habe unter ihrer Haut ein Feuer gewütet. Sie schlug die Bettdecke auf und glitt wie ein träger Seehund zu mir. Es war, als ginge sie schlafen, ich konnte ihren Mund sehen, über ihren Lippen waren kleine Falten, sie legte ihren Arm auf meinen feuchten Bauch, ich schlang meinen Arm um sie und streichelte ihre Schultern, als wäre sie ein Kind, das bei einem Gewitter aufgewacht ist und nun Schutz suchte. Wir lagen auf dem Rücken, warteten, bis einer von uns etwas sagen würde, aber wir sagten nichts, weil wir weiter aufeinander warten wollten. Ich legte meinen linken Arm auf sie, auf ihre Brüste und streichelte ihre Schulter. Sie sah mich an und fuhr mir mit ihrer Hand über die Augen.

»Deine Augen tränen schon den ganzen Tag«, sagte sie, »hast du zu viel Sonne erwischt?«

»Kann sein«, sagte ich, »ich habe den ganzen Tag an Curaçao gedacht, heute mittag auf dem Dachboden hat es angefangen, ich habe in die Kiste geschaut und wußte plötzlich wieder, wie es auf Curaçao war, ich habe ein bißchen gelogen, ich war in unserem alten Haus, und da habe ich ein Fotoalbum über Curaçao bekommen, ich habe mich nicht getraut, es zu sagen, du warst auch auf Fotos drauf, aber ich habe es wieder zurückgegeben. Meine Mutter hatte es dort liegenlassen.«

Sie hob den Kopf und drückte mir ihre Lippen auf den Mund, sie schmeckten nach Salz und süßer Limonade, ein Geschmack, der abends auch schon in ihrem Hals hing. Dann legte sie ihren Kopf wieder neben mich und ihren Mund an meine Schulter, ich wollte ihre Wange küssen, verfehlte sie jedoch, ich sprach ihren Namen aus, Susan, sagte ich, ich erzählte von meiner Begegnung mit dem Jungen auf dem Balkon, daß ich ihn wahrscheinlich schon öfter gesehen, daß er wunderschön getanzt und gesungen habe, daß ich plötzlich alles verstanden habe, daß ich mit ihm gegangen sei, daß ich mich an alles aus Curaçao erinnerte, an alles, daß sie dort für mich gesungen hatte, ich hätte es nie vergessen, daß ich nie geheilt worden sei und es auch nicht wolle, im Gegenteil, daß ich dort bei ihr im Bett gelegen sei, weißt du es noch, sie lachte, daß ich nie gesund werden wolle, daß davon nie die Rede sein könne, und dann lachten wir beide, sie legte meine Hand auf ihren Bauch, doch als sie merkte, daß es mir unmöglich war, meinen Redefluß zu stoppen, legte sie ihre Hand auf meinen Mund und dann auf meine Brust, über die Schweißtropfen rannen und aufs Bett fielen. Von dem Tanzmädchen erzählte ich nichts.

»Hat deine Mutter nie darüber gesprochen?« sagte sie.

Ich wollte meine Hand auf ihren Mund legen, um sie am Sprechen zu hindern.

»Was meinst du«, sagte ich.

»Daß sie ihre Tochter totgeschlagen hat«, sagte sie, »in einem Anfall von geistiger Umnachtung.«

Sie sah beim Sprechen vor sich hin, als lese sie die Wörter von der Decke ab. Ich legte meine Hand auf ihren Mund, sie schob sie weg.

»Sie erzählte, daß sie auf Curaçao krank geworden sei«, sagte ich, »als du mich heute abend umarmt hast, habe ich mich wieder an alles erinnert.«

»Genau wie früher«, sagte sie, »auf Curaçao.«

»Genau wie früher«, sagte ich.

»Der Rest auch«, sagte ich.

»Auf dem Dachboden liegen Bücher über Curaçao«, sagte ich, »ich dachte, sie hätten uns gehört.«

»Sie waren von meinem Mann«, sagte sie, »und der hatte sie wiederum von deiner Mutter bekommen.«

Ich legte die Fotos unters Bett, es war nicht nötig, sie ihr zu zeigen, sie hatte sich wieder an alles erinnert. Zwischen uns war alles ausgesprochen, wir beschützten einander gegen das, was noch auf uns zukommen würde, wie sie es früher auf Curaçao getan hatte, wenn ich nachts bei ihr lag. Sie drückte ihren Mund an mein Ohr und flüsterte etwas, ihre Hand ging von meinem Bauch nach unten und sie nahm, als wolle sie mich beruhigen, meinen steifen Schwanz, ihre Hand streichelte ihn sanft, ich hatte nichts gesagt, um nichts gebeten, es war in dem Lied des Jungen gewesen, damit hatte alles angefangen, sie war heute wieder in mein Leben getreten wie sie früher auf Curaçao mein Leben umkreiste, und schließlich war sie in dieser Umarmung, von der ich nie mehr geheilt würde. Sie legte sich auf die Seite, öffnete den Mund, leckte mit ihrer Zunge den Schweiß von meinen Augen, sie schüttelte ihre Hand ruhig hin und her, sie war für immer verlassen, genau wie ich, sie ging auf einer Landstraße, auf einer sonnigen Straße auf Curaçao, wo wir beide gingen, sie küßte mich auf den Mund, als wolle sie dort wohnen, und ich beugte mich über sie, ich roch ihren Hals, hob ihr Hemd hoch und leckte ihre Brüste.

»Ich habe es geahnt«, sagte sie, »ich habe es geahnt, schon den ganzen Tag.«

Ich schlug die Bettdecke zurück, ihre Beine waren weiß wie ein beschneiter Abhang. Sie leckte meine Wange, vorsichtig, als könne ich zerbrechen, ich zog ihr das Stirnband ab und streichelte ihre Brüste, ich schmiegte mich schaudernd an sie. Sie hatte mich ohne mein Wissen mein ganzes Leben begleitet, sie hatte bei dem Jungen auf dem Balkon in der Gestalt einer anderen Frau gestanden, sie war in dem Fotoalbum abgebildet, ihr hatte ich das Fotoalbum geopfert, ich blickte auf ihre Hand, sie hatte mich zu sich gesungen, als sie unten nur für mich gesungen hatte.

»Du wolltest winken«, sagte ich, »als du mich in der Einkaufsstraße gesehen hast, du wolltest mir winken.«

Sie drückte ihren Kopf an meinen Körper, ich legte meine Hand auf ihre Hand, die sich bewegte, danach lagen wir mit unseren Gesichtern nebeneinander, mit den Lippen aufeinander.

Klett-Cotta
Die Originalausgabe erschien unter dem Titel
»Blauw Curaçao« bei Querido, Amsterdam

Printed in Germany
Schutzumschlag und Fotos: Philippa Walz, Stuttgart
Gesetzt aus der Palatino
von Fotosatz Janß GmbH, Pfungstadt
Gedruckt auf holz- und säurefreiem Werkdruckpapier
und gebunden von Clausen & Bosse, Leck

ISBN 3-608-93419-7

Yu Hua:
Leben!
Roman

Aus dem Chinesischen übersetzt von Ulrich Kautz
220 Seiten, gebunden mit Schutzumschlag
ISBN 3-608-93417-0 ●

Als Sohn eines Gutsbesitzers geboren und verheiratet mit der Tochter eines reichen Reishändlers, verspielt Fugui schon früh Hof und Äcker in den Spielhöllen der nahegelegenen Stadt. Er wird zum Tagelöhner. Guomindang-Offiziere greifen ihn auf und schicken ihn in den Kampf gegen die Rote Armee, deren Kriegsgefangener er wird. Wieder in Freiheit, kehrt er zu seinem Beruf zurück, durch die Bodenreform kommt er sogar zu etwas Land – das nehmen ihm die Volkskommunen. Nachdem ihm Schicksalsschläge fast die ganze Familie geraubt haben, sieht ihn das Alter auf dem nun wieder privatisierten Acker: ein Ochse ist alles, was ihm geblieben ist.
Doch sind dies nur die äußeren Begebenheiten dieses Romans. Eine Familie, die Menschen und die wechselvolle Geschichte Chinas sind der eigentliche Stoff der Ereignisse, die in einfachen, eindrücklichen und fast poetischen Worten mitgeteilt werden. So ist ein bewegender und doch nie sentimentaler Roman über die letzten 50 Jahre des Reichs der Mitte entstanden. Der stoische und letztlich triumphierende Lebenswille des einzelnen ist seine Botschaft.

»Leben!« wurde trotz Einwänden der chinesischen Zensur von Zhang Yimou verfilmt, 1994 in Cannes uraufgeführt und mit dem Großen Preis der Jury ausgezeichnet.

Klett-Cotta